DOMAINE FRANÇAIS

PARLE-LEUR DE BATAILLES,
DE ROIS ET D'ÉLÉPHANTS

DU MÊME AUTEUR

LA PERFECTION DU TIR, Actes Sud, 2003 ; Babel, 2008.
REMONTER L'ORÉNOQUE, Actes Sud, 2005.
BRÉVIAIRE DES ARTIFICIERS, Verticales, 2007.
ZONE, Actes Sud, 2008 ; Babel, 2010.
MANGÉE, MANGÉE (illustrations de Pierre Marquès), Actes Sud Junior, 2009.

Illustrations :
Page 8 : Michel-Ange, *Croquis de denrées alimentaires, écriture*,
1517-1518, Archivio Buonarroti, Florence

Pages 146-147 : © Pierre Marquès

© ACTES SUD, 2010
ISBN 978-2-7427-9362-4

© LEMÉAC ÉDITEUR, 2010
pour la publication en langue française au Canada
ISBN 978-2-7609-0659-4

MATHIAS ÉNARD

Parle-leur de batailles, de rois et d'éléphants

roman

ACTES SUD / LEMÉAC

Puisque ce sont des enfants, parle-leur de batailles et de rois, de chevaux, de diables, d'éléphants et d'anges, mais n'omets pas de leur parler d'amour et de choses semblables.

pani dua

un bochal di uino

una aringa

tortegli

---

una salata

e quatro pani

un bochal di eodo

un quartuccio di brugno

un piattello di spinaci

quatro a le ci...

tortelli

---

sei pani

dua minestre di finochio

una aringa

un bochal di tondo

La nuit ne communique pas avec le jour. Elle y brûle. On la porte au bûcher à l'aube. Et avec elle ses gens, les buveurs, les poètes, les amants. Nous sommes un peuple de relégués, de condamnés à mort. Je ne te connais pas. Je connais ton ami turc ; c'est l'un des nôtres. Petit à petit il disparaît du monde, avalé par l'ombre et ses mirages ; nous sommes frères. Je ne sais quelle douleur ou quel plaisir l'a poussé vers nous, vers la poudre d'étoile, peut-être l'opium, peut-être le vin, peut-être l'amour ; peut-être quelque obscure blessure de l'âme bien cachée dans les replis de la mémoire.

Tu souhaites nous rejoindre.

Ta peur et ton désarroi te jettent dans nos bras, tu cherches à t'y blottir, mais ton corps dur reste accroché à ses certitudes, il éloigne le désir, refuse l'abandon.

Je ne te blâme pas.

Tu habites une autre prison, un monde de force et de courage où tu penses pouvoir être porté en triomphe ; tu crois obtenir la bienveillance des puissants, tu cherches la gloire et la fortune. Pourtant, lorsque la nuit arrive, tu trembles. Tu ne bois pas, car tu as peur ; tu sais que la brûlure de l'alcool te précipite dans la faiblesse, dans l'irrésistible besoin de retrouver des caresses, une tendresse disparue, le monde perdu de l'enfance, la satisfaction,

le calme face à l'incertitude scintillante de l'obscurité.

Tu penses désirer ma beauté, la douceur de ma
peau, l'éclat de mon sourire, la finesse de mes ar-
ticulations, le carmin de mes lèvres, mais en réalité, ce que tu souhaites sans le savoir, c'est la
disparition de tes peurs, la guérison, l'union, le retour, l'oubli. Cette puissance en toi te dévore dans
la solitude.

Alors tu souffres, perdu dans un crépuscule in-
fini, un pied dans le jour et l'autre dans la nuit.

Trois balles de fourrures de zibeline et de martre, cent douze *panni* de laine, neuf rouleaux de satin de Bergame, autant de velours florentin doré, cinq barils de nitre, deux caisses de miroirs et un petit coffre à bijoux : voilà ce qui débarque après Michelangelo Buonarroti dans le port de Constantinople le jeudi 13 mai 1506. A peine la frégate amarrée, le sculpteur a sauté à terre. Il tangue un peu, après six jours de navigation pénible. On ignore le nom du drogman grec qui l'attend, appelons-le Manuel ; on connaît en revanche celui du commerçant qui l'accompagne, Giovanni di Francesco Maringhi, Florentin établi à Istanbul depuis cinq ans déjà. Les marchandises lui appartiennent. C'est un homme affable, heureux de rencontrer le sculpteur du *David*, ce héros de la république de Florence.

Evidemment Istanbul était bien différente alors ; on l'appelait surtout Constantinople ; Sainte-Sophie trônait seule sans la Mosquée bleue, la rive orientale du Bosphore était désolée, le grand bazar n'était pas encore cette immense toile d'araignée où se perdent les touristes du monde entier pour qu'on les y dévore. L'Empire n'était plus romain et pas encore l'Empire, la ville balançait entre Ottomans, Grecs, juifs et Latins ; le sultan avait nom Bayazid, le deuxième, surnommé le Saint, le Pieux, le Juste. Les Florentins et les Vénitiens l'appelaient

Bajazeto, les Français Bajazet. C'était un homme sage et discret, qui régna trente et un ans ; il aimait tâter du vin, de la poésie et de la musique ; il ne rechignait ni aux jeunes hommes, ni aux jeunes femmes ; il appréciait les sciences et les arts, l'astronomie, l'architecture, les plaisirs de la guerre, les chevaux rapides et les armes tranchantes. On ignore ce qui le poussa à inviter Michel-Ange Buonarroti des Buonarroti de Florence à Istanbul, même si le sculpteur jouissait déjà, en Italie, d'un grand renom. A trente et un ans, certains voyaient en lui le plus grand artiste du temps. On le comparait souvent à l'immense Léonard de Vinci, de vingt ans son aîné.

Cette année-là Michel-Ange a quitté Rome sur un coup de tête, le samedi 17 avril, la veille de la pose de la première pierre de la nouvelle basilique San Pietro. Il était allé pour la cinquième fois consécutive prier le pape de bien vouloir honorer sa promesse d'argent frais. On l'a jeté dehors.

Michel-Ange frémit dans son manteau de laine, le printemps est timide, pluvieux. Michelangelo Buonarroti atteint les frontières de la république de Florence à la seconde heure de la nuit, nous apprend Ascanio Condivi, son biographe ; il s'arrête dans une auberge à trente lieues de la ville.

Michel-Ange peste contre Jules II le pape guerrier et autoritaire qui l'a si mal traité. Michel-Ange est orgueilleux. Michel-Ange a conscience d'être un artiste de valeur.

Se sachant en sûreté en territoire florentin, il éconduit les sbires que le pape a envoyés à sa poursuite avec ordre de le ramener à Rome, de force s'il le faut. Il arrive à Florence le lendemain pour le souper. Sa servante lui sert un bouillon maigre. Michel-Ange insulte mentalement l'architecte Bramante et le peintre Raphaël, les jaloux qui, pense-t-il, l'ont desservi auprès du pape. Le pontife Jules Della Rovere est un orgueilleux, lui aussi. Orgueilleux, autoritaire et mauvais payeur. L'artiste a dû sortir de sa poche le prix des marbres qu'il est allé choisir à Carrare pour l'exécution du tombeau papal, immense monument qui devrait trôner au beau milieu de la nouvelle basilique. Michel-Ange soupire. L'avance sur le contrat signé par le pape a été dépensée en fournitures, en déplacements, en apprentis pour équarrir les blocs.

Le sculpteur, épuisé par le voyage et les tracas, un peu réchauffé par le bouillon, s'enferme dans son lit minuscule d'homme renaissant et s'endort assis, le dos contre un coussin, parce qu'il a peur de l'image de mort que confère la position allongée.

Le lendemain, il attend un message du pape. Il tremble de rage en pensant que le pontife n'a même pas daigné le recevoir, la veille de son départ. Bramante l'architecte est un imbécile, et Raphaël le peintre un prétentieux. Deux nains qui flattent la superbe démesurée de l'empourpré. Puis le dimanche arrive, Michel-Ange fait gras pour la première fois depuis des mois, un agneau délicieux, cuit par le boulanger son voisin.

Il dessine tout le jour, épuise en un rien de temps trois sanguines et deux mines de plomb.

Les jours passent, Michel-Ange commence à se demander s'il n'a pas commis une erreur. Il hésite à écrire une lettre à Sa Sainteté. Rentrer en grâce et repartir à Rome. Jamais. A Florence, la statue du *David* a fait de lui le héros de la ville. Il pourrait accepter les commandes que l'on ne manquera pas de lui passer lorsqu'on apprendra son retour, mais cela déclencherait la furie de Jules avec qui il est engagé. L'idée de devoir s'humilier une fois de plus devant le pontife lui provoque un bel accès de rage.

Il brise deux vases et une assiette de majolique.

Puis, calmé, il se remet à dessiner, des études d'anatomie, principalement.

Trois jours plus tard, après les vêpres, précise Ascanio Condivi, il reçoit la visite de deux moines franciscains, qui arrivent trempés par la pluie battante. L'Arno a beaucoup grossi ces derniers jours, on redoute une crue. La servante aide les moines à se sécher ; Michel-Ange observe les deux hommes, leurs robes maculées de boue à l'ourlet, leurs chevilles nues, leurs mollets maigres.

— Maître, nous venons vous transmettre un message de la plus haute importance.

— Comment m'avez-vous trouvé ?

Michel-Ange pense amusé que Jules II a de bien piètres envoyés.

— Sur indications de votre frère, maître.

— Voici une lettre, pour vous, *maestro*. Il s'agit d'une requête singulière, provenant d'un très haut personnage.

La lettre n'est pas cachetée, mais scellée de caractères inconnus. Michel-Ange ne peut s'empêcher d'être déçu en voyant qu'elle ne provient pas du pape. Il pose la missive sur la table.

— De quoi s'agit-il ?

— D'une invitation du sultan de Constantinople, maître.

On imagine la surprise de l'artiste, ses petits yeux qui s'écarquillent. Le sultan de Constantinople. Le Grand Turc. Il retourne la lettre entre ses doigts. Le papier ciré est une des plus douces matières qui soient.

Assis dans les souffles de l'Adriatique, dans un bateau sur l'Adriatique, Michel-Ange regrette. Son estomac se tord, ses oreilles bourdonnent, il a peur. C'est la vengeance divine, cette tempête. Au large de Raguse, puis devant la Morée, il a en tête la phrase de saint Paul : "pour apprendre à prier il faut aller sur la mer", et la comprend. L'immensité de la plaine marine l'effraie. Les mousses parlent un affreux patois nasillard qu'il n'entend qu'à moitié.

Il a quitté Florence le 1ᵉʳ mai pour s'embarquer à Ancône, après six jours d'hésitations. Les franciscains sont revenus à trois reprises, à trois reprises il les a renvoyés en leur demandant d'attendre encore. Il a lu et relu la lettre du sultan, en espérant qu'un signe du pape mette entre-temps fin à ses incertitudes. Jules II devait être trop occupé avec sa basilique et les préparatifs d'une nouvelle guerre. Après tout, servir le sultan de Constantinople voilà une belle revanche sur le pontife belliqueux qui l'a fait jeter dehors comme un indigent. Et la somme offerte par le Grand Turc est faramineuse. L'équivalent de cinquante mille ducats, soit cinq fois plus que le pape l'a payé pour deux ans de travail. Un mois. C'est tout ce que demande Bayazid. Un mois pour projeter, dessiner et débuter le chantier d'un pont entre Constantinople et Péra, faubourg septentrional. Un pont pour traverser ce que l'on appelle la Corne d'Or, le *Khrusokeras* des Byzantins. Un pont au milieu du port d'Istanbul. Un ouvrage de plus de neuf cents pieds de long. Michel-Ange a mollement essayé de persuader les franciscains qu'il n'était pas qualifié. Si le sultan vous a choisi, c'est que vous l'êtes, maître, ont-ils répondu. Et si votre dessin ne convient pas au Grand Turc, il le refusera, tout comme il a déjà refusé celui de Léonard de Vinci. Léonard ? Passer après Léonard de Vinci ? Après ce lourdaud qui méprise la sculpture ? Le moine, sans trop s'en rendre compte, a immédiatement trouvé les mots pour convaincre Michel-Ange : *Vous le dépasserez en gloire si vous acceptez, car vous réussirez là où il a échoué, et donnerez au monde un monument sans pareil, comme votre* David.

Pour le moment, adossé à un bastingage de bois humide, le sculpteur sans égal, futur peintre de génie et immense architecte n'est plus qu'un corps, tordu par la peur et la nausée.

Toutes ces fourrures donc, tous ces *panni* de laine, ces rouleaux de satin de Bergame et de velours florentin, ces barils et ces caisses ont débarqué après Michel-Ange le 13 mai 1506.

Une heure plus tôt, en doublant la pointe du palais, l'artiste a aperçu la basilique Sainte-Sophie, géant aux larges épaules, Atlas portant sa coupole jusqu'aux sommets du monde connu ; pendant les manœuvres d'accostage, il a observé l'activité du port ; il a vu décharger l'huile de Mytilène, les savons de Tripoli, le riz d'Egypte, les figues sèches de Smyrne, le sel et le plomb, l'argent, les briques et le bois de construction ; il a parcouru des yeux les pentes de la ville, entrevu l'ancien sérail, les minarets d'une grande mosquée qui dépassent du haut de la colline ; il a surtout regardé la rive opposée, les remparts de la forteresse de Galata, de l'autre côté de la Corne d'Or, cet estuaire qui ressemble si peu à l'embouchure du Tibre. C'est donc là, un rien plus loin, vers l'amont, qu'il est censé construire un pont. La distance à franchir est gigantesque. Combien d'arches faudra-t-il ? Quelle peut être la profondeur de ce bras de mer ?

Michel-Ange et son bagage s'installent dans une petite chambre au premier étage des magasins du marchand florentin Maringhi. On a pensé qu'il préférerait prendre pension chez des compatriotes.

Son drogman grec habite un réduit dans une dépendance voisine. La pièce où Michelangelo Buonarroti ouvre son bagage donne sur une coursive aux belles arcades de pierre ; une double rangée de fenêtres, très hautes, presque collées au plafond, distribue une lumière qui semble venir de nulle part, diffractée par les jalousies de bois. Un lit et une table de châtaignier, un coffre ouvragé en noyer, deux lampes à huile et un lourd bougeoir circulaire de fer au plafond, voilà tout.

Une petite porte cache une salle d'eau carrelée de faïence multicolore dont Michel-Ange n'a que faire, car il ne se lave jamais.

Michelangelo possède un carnet, un simple cahier qu'il a réalisé lui-même : des feuilles pliées en deux, retenues par une ficelle, et une couverture de carte épaisse. Ce n'est pas un carnet de croquis, il n'y dessine pas ; il n'y note pas non plus les vers qui lui viennent parfois, ou les brouillons de ses lettres, encore moins ses impressions sur les jours ou le temps qu'il fait.

Dans ce cahier taché, il consigne des trésors. Des accumulations interminables d'objets divers, des comptes, des dépenses, des fournitures ; des trousseaux, des menus, des mots, tout simplement.

Son carnet, c'est sa malle.

Le nom des choses leur donne la vie.

11 mai, voile latine, tourmentin, balancine, drisse, déferlage.

12 mai, garcette, cabestan, varangue, coupée, carlingue.

13 mai 1506, étoupe, amadou, briquet, mèche, cire, huile.

14 mai, dix petites feuilles de papier lourd et cinq grandes, trois belles plumes, un encrier, une bouteille d'encre noire, une fiole de rouge, mines de plomb, porte-mine, trois sanguines.

Deux ducats à Maringhi, ladre, voleur, étrangleur.

Heureusement la mie de pain et le charbon sont gratuits.

Les trois premiers jours, Michel-Ange attend.

Il sort peu, principalement le matin, sans oser s'éloigner des environs immédiats des magasins du Florentin qui le loge. Manuel le traducteur l'accompagne, lui propose de découvrir la ville, de visiter la basilique Sainte-Sophie ou la magnifique mosquée que le sultan Bayazid vient de faire construire sur une hauteur. Michel-Ange refuse. Il préfère sa promenade habituelle : tourner autour du caravansérail, atteindre le port, longer les remparts jusqu'à la porte della Farina, comme l'appellent les Francs, observer longuement la rive opposée de la Corne d'Or et rentrer dans ses appartements. Son guide le suit, silencieux. Ils ne parlent presque pas. Michel-Ange ne parle d'ailleurs à personne. L'artiste prend ses repas la plupart du temps dans sa chambre.

Il dessine.

Michel-Ange ne dessine pas de ponts.

Il dessine des chevaux, des hommes et des astragales.

Il dessine des chevaux, des hommes et des astragales trois jours durant, jusqu'à ce que le grand vizir le fasse enfin mander. La délégation ottomane est composée d'un jeune page, un Génois appelé Falachi, et d'une escouade de janissaires aux casques enturbannés de carmin. On installe le sculpteur dans une araba grise et or à l'attelage fringant ; deux spahis trottent devant le cortège, pour ouvrir la route ; leurs cimeterres battent les flancs des cavales.

Dans la voiture, le page Falachi fait la conversation ; il explique tout l'honneur qu'il a de se trouver aux côtés du sculpteur, à quel point il est heureux de le rencontrer, et lui décrit l'impatience qu'a la cour de connaître enfin l'immense artiste qui va réaliser une si noble tâche. Michel-Ange s'étonne de découvrir un Génois si proche du Grand Turc ; Falachi lui sourit et lui explique qu'il est un esclave du sultan, capturé jeune par des corsaires, et que sa position est enviable. Il est puissant, respecté et, si cela importe, riche. Manuel le Grec acquiesce du chef ; Michel-Ange écarte le rideau qui occulte la fenêtre de la voiture et regarde les rues de Constantinople défiler au rythme du convoi souvent ralenti par des portefaix ou des groupes de négociants. Les entrepôts débordants de marchandises, les maisons de bois, les églises des mahométans dont les patios clairs au-delà des porches ouvrent des yeux de lumière dans la matière de la ville.

La visite sera brève et assez peu protocolaire, précise Falachi. Le vizir veut avant tout lui présenter ceux qui l'assisteront dans sa tâche et régler des détails certes administratifs mais importants. On l'installera ensuite dans un atelier où il trouvera tout ce qui lui sera nécessaire pour l'exercice de son art, dessinateurs, maquettistes et ingénieurs.

Arrivé au palais, l'omniprésence des gens d'armes rappelle à Michel-Ange ses visites à Jules II, le pape guerrier. L'immense cour dans laquelle ils descendent de voiture est à la fois éclatante de soleil et ombragée. Une foule de janissaires et de fonctionnaires contrôlent les arrivées. Les bâtiments sont bas, neufs, éblouissants ; l'artiste y devine des écuries, des logements, des corps de garde ; les passages, les couloirs où on le conduit n'ont rien à voir avec les voûtes sombres et croulantes du palais pontifical de Rome où ni Raphaël ni Michel-Ange lui-même n'ont encore posé le pinceau.

Le grand vizir a pour nom Ali Pacha et reçoit dans une belle salle d'apparat décorée de boiseries, de faïences et de calligraphies. Ce n'était pas la peine d'expliquer à Michel-Ange qu'il devait s'agenouiller devant cet homme imposant et enturbanné, un des plus puissants du monde connu, entouré d'une ribambelle de scribes, de secrétaires, de soldats. Bien vite, Falachi le page signifie à l'artiste de se relever et d'approcher. Le vizir a une voix ferme. Il parle un italien étrange, peuplé de génois, de vénitien ou peut-être de castillan. *Maestro*, nous te remercions d'avoir accepté la tâche qui t'incombe. *Maestro* Buonarroti, le sultan ton grand seigneur Bayazid se réjouit de te savoir parmi nous.

Michelangelo baisse les yeux en signe de respect et de gratitude.

Il ne peut s'empêcher d'imaginer la réaction de Jules II lorsque Sa Sainteté le pape très chrétien apprendra cette entrevue et la présence de son sculpteur préféré auprès du Grand Turc.

Cette pensée lui instille un mélange assez plaisant d'excitation et de terreur.

Le vizir Ali Pacha fait remettre à Michel-Ange un contrat en latin et une bourse de cent aspres d'argent pour ses frais. Le secrétaire qui lui tend les papiers a les mains douces, les doigts fins ; il s'appelle Mesihi de Pristina, c'est un lettré, un artiste, un grand poète, protégé du vizir. Un visage d'ange, un regard sombre, un sourire sincère ; il parle un peu franc, un peu grec ; il sait l'arabe et le persan. Puis arrivent une série de dignitaires : le *shehremini*, responsable de la ville de Constantinople ; le *mohendesbashi*, l'ingénieur supérieur, qu'on n'appelle pas encore architecte en chef ; le *defterdâr*, l'intendant ; une moisson de serviteurs. Falachi et Manuel traduisent aussi vite qu'ils le peuvent les mots de bienvenue et les encouragements de la foule ; on prend le sculpteur par le bras, on l'introduit dans la pièce adjacente, où un repas est préparé ; déjà des pages à demi dissimulés derrière leurs longues aiguières dorées versent de l'eau parfumée dans des timbales. Michel-Ange le frugal goûte du bout des lèvres le bœuf aux dattes, les aubergines macérées, la volaille à la mélasse de caroube ; désorienté, il ne parvient à reconnaître ni le goût de la cannelle, ni celui du camphre ou du mastic. L'artiste pense que tous ces gens l'ignorent malgré le faste de la réception ; il n'est pour eux qu'une image, un reflet sans matière et se sent légèrement humilié.

Michelangelo le divin n'a qu'une envie, c'est de voir l'atelier qu'on lui a promis, et de se mettre au travail.

Ton bras est dur. Ton corps est dur. Ton âme est dure. Bien sûr que tu ne dors pas. Je sais que tu m'attendais. J'ai remarqué tes regards tout à l'heure. Tu savais que j'allais venir. Tout finit toujours par arriver. Tu as désiré ma présence, je suis là. Beaucoup souhaiteraient m'avoir près d'eux, allongés dans le noir ; toi tu me tournes le dos. Je sens tes muscles tendus, tes muscles de barbare ou de guerrier. Il faut sans doute manier l'épée pour avoir des bras aussi forts. L'épée ou la faux. Je ne t'imagine pourtant pas paysan, ni soldat, tu ne serais pas ici. Tu es bien trop rugueux pour être poète comme ton ami turc. Es-tu donc un marin, un capitaine, un marchand ? Je ne sais pas. Tu ne me regardais pas comme une chose que l'on peut acheter ou posséder par les armes.

J'ai aimé ta façon de m'observer, quand je chantais. La précision de tes yeux, la délicatesse de leur convoitise. Et maintenant quoi ? As-tu peur, étranger ? C'est moi qui devrais avoir peur. Je ne suis qu'une voix dans l'obscurité, je disparaîtrai avec l'aube. Je me glisserai hors de cette chambre lorsqu'on pourra distinguer un fil noir d'un fil blanc et que les musulmans appelleront à la prière.

On me paiera, tu n'as rien à te reprocher. Laisse-toi aller au plaisir. Tu trembles. Tu ne me désires pas ? Alors écoute. Il était une fois, dans un pays

lointain... Non, je ne vais pas te raconter une histoire. Ce n'est plus le temps des histoires. L'époque
des contes est terminée. Les rois sont des sauvages
qui tuent leurs chevaux sous eux ; il y a bien longtemps qu'ils n'offrent plus d'éléphants à leurs prin-
cesses. Mon monde est mort, étranger, j'ai dû le fuir,
abandonner jusqu'à mes souvenirs. J'étais enfant.
Je me rappelle seulement le jour de la chute, ma mère
affolée, mon père confiant en l'avenir qui essayait
de la rassurer, notre prince le traître qui s'enfuit
après avoir ouvert la ville aux armées chrétiennes.
C'était en janvier, une neige fine brillait sur la montagne. Il faisait beau. Ysabel et Fernando, vos rudes
souverains catholiques, ont dormi dans l'Alhambra ;
Fernando a ôté son armure pour monter sa royale
femelle, dans la plus belle chambre du palais, après
avoir fait donner une messe victorieuse où tous ses
chevaliers, entrés dans la citadelle sans se battre,
priaient avec ferveur. Trois mois après, alors que
nous avions vu les nobles Espagnols s'installer dans
la médina, on nous chassa. Le départ, la conversion
ou la mort. Nous respections les chrétiens. Il y avait
des pactes, des accords. Disparus en une nuit.

Je ne reverrai sans doute jamais l'endroit où j'ai
grandi. Je pourrais vous haïr pour cela, toi et ta
croix. J'en aurais le droit. Mon père est mort dans
les souffrances du voyage. Ma mère est enterrée
à deux parasanges d'ici. Le sultan Bayazid nous a
accueillis, dans cette capitale conquise aux Romains. C'est justice. Œil pour œil, ville pour ville.
Tu ne trembles plus. Je te caresse doucement
et tu restes de glace, froid comme un fleuve. Mon
histoire te déplaît ? Je doute que tu m'écoutes vraiment. Tu dois comprendre des mots, des bribes,
des morceaux de phrases. Cela t'étonne que je parle
castillan. Nombre de choses t'étonneraient encore
si tu avais vu Grenade.

Je n'ai pas d'amertume. Un pâle soleil d'hiver éclaire aujourd'hui l'Andalousie. Les choses passent.

On parle de Nouveau Monde ; on raconte qu'au-delà des mers se trouvent des pays infiniment riches que les Francs conquièrent. Les astres se détournent de nous ; ils nous plongent dans la pénombre. La lumière s'en va de l'autre côté de la terre, qui sait quand elle reviendra. Je ne te connais pas, étranger. Tu ne sais rien de moi, nous n'avons que la nuit en commun. Nous partageons ce moment, malgré nous. Malgré les coups que nous nous sommes portés, les choses détruites, je suis contre toi dans le noir. Je ne vais pas t'entretenir avec mes contes jusqu'à l'aurore. Je ne te parlerai ni de bons génies, ni de goules terrifiantes, ni de voyages dans des îles dangereuses. Laisse-toi faire. Oublie ta peur, profite de ce que je suis, comme toi, un morceau de chair qui n'appartient à personne sinon à Dieu. Prends un peu de ma beauté, du parfum de ma peau. On te l'offre. Ce ne sera ni une trahison, ni un serment ; ni une défaite, ni une victoire.

Juste deux mains s'emprisonnant, comme des lèvres se pressent sans s'unir jamais.

Manuel le traducteur rend chaque matin visite à Michel-Ange pour lui demander s'il n'a besoin de rien, s'il peut l'accompagner quelque part ; le plus souvent il trouve le sculpteur occupé à dessiner, ou bien à dresser une de ses innombrables listes dans son carnet. Parfois, il a la chance de pouvoir observer le Florentin alors qu'il trace, à l'encre ou au plomb, une étude d'anatomie, le détail d'un ornement d'architecture.

Manuel est fasciné.

Amusé par son intérêt, Michel-Ange crâne. Il lui demande de poser la main sur la table et, en deux minutes, il esquisse le poignet, toute la complexité des doigts recourbés et la pulpe des phalanges.

— C'est un miracle, maître, souffle Manuel.

Michelangelo part d'un grand éclat de rire.

— Un miracle ? Non mon ami. C'est pur génie, je n'ai pas besoin de Dieu pour cela.

Manuel reste interloqué.

— Je me moque de toi, Manuel. C'est du travail, avant tout. Le talent n'est rien sans travail. Essaie, si tu veux.

Manuel secoue la tête, paniqué.

— Mais je ne sais pas, *maestro*, j'ignore tout du dessin.

— Je vais te dire comment apprendre. Il n'y a pas d'autre façon. Appuie ton bras gauche sur la table

devant toi, la main à demi ouverte, le pouce détendu, et avec la droite dessine ce que tu vois, une
fois, deux fois, trois fois, mille fois. Tu n'as pas besoin de modèle ni de maître. Il y a tout dans une
main. Des os, des mouvements, des matières, des
proportions et même des drapés. Fais confiance
à ton œil. Recommence jusqu'à ce que tu saches.
Puis tu feras la même chose avec ton pied, en le
posant sur un tabouret ; puis avec ton visage, grâce
à un miroir. Ensuite seulement tu pourras passer à
un modèle, pour les postures.

— Vous croyez qu'il est possible d'y arriver, *maestro*? Ici personne ne dessine comme ça. Les icônes...

Michel-Ange l'interrompt durement.

— Les icônes sont des images d'enfants, Manuel.
Peintes par des enfants pour des enfants. Je t'assure,
suis mes conseils et tu verras que tu dessineras.
Après tu pourras t'amuser à copier des icônes autant que tu voudras.

— Je vais essayer, *maestro*. Souhaitez-vous que
nous allions nous promener ou visiter un monument ?

— Non Manuel, pas pour le moment. Je suis
bien ici, la lumière est parfaite, il n'y a pas d'ombres
sur ma page, je travaille, je n'ai besoin de rien
d'autre, je te remercie.

— Bien. Demain nous irons voir votre atelier. A
bientôt donc.

Et le drogman grec se retire, en se demandant
s'il va oser poser la main sur la table et se mettre
à dessiner lui aussi.

L'atelier se trouve dans les dépendances de l'ancien palais des sultans, à deux pas d'une mosquée
grandiose dont le chantier vient d'être achevé. Le
secrétaire poète Mesihi, le page Falachi et Manuel
ont accompagné Michel-Ange prendre possession des lieux, un peu inquiets des réactions de
l'artiste.

Une salle haute, voûtée, meublée d'une foule de
dessinateurs et d'ingénieurs, en rangs devant de
grandes tables encombrées de dessins et de plans.

Des maquettes sur des présentoirs, plusieurs maquettes différentes d'un ouvrage étrange, un pont
singulier, deux paraboles qui fabriquent un tablier
à leur asymptote, soutenues par une arche unique,
un peu comme un chat qui ferait le dos rond.

Voici votre royaume et vos sujets, *maestro*, dit
Falachi. Mesihi ajoute une formule de bienvenue
que Michel-Ange n'entend pas. Son regard est fixé
sur les maquettes.

— Il s'agit de modèles réalisés à partir du dessin
proposé par Léonard de Vinci, *maestro*. Les ingénieurs l'ont jugé inventif, mais impossible à construire et, comment dire, le sultan l'a trouvé plutôt…
plutôt laid, malgré sa légèreté.

Si le grand Vinci n'a rien compris à la sculpture,
eh bien il ne comprend rien non plus à l'architecture.

Michel-Ange le génie s'approche du projet de son si célèbre aîné ; il l'observe une minute, puis, d'une gigantesque gifle, le précipite à bas du socle ; l'édifice de bois collé retombe sur ses quatre pattes sans se briser.

Le sculpteur pose alors sa galoche droite sur le modèle réduit, et l'écrase rageusement.

Le pont sur la Corne d'Or doit unir deux forteresses, c'est un pont royal, un pont qui, de deux rives que tout oppose, fabriquera une ville immense. Le dessin de Léonard de Vinci est ingénieux. Le dessin de Léonard de Vinci est si novateur qu'il effraie. Le dessin de Léonard de Vinci n'a aucun intérêt car il ne pense ni au sultan, ni à la ville, ni à la forteresse. D'instinct, Michel-Ange sait qu'il ira bien plus loin, qu'il réussira, parce qu'il a vu Constantinople, parce qu'il a compris que l'ouvrage qu'on lui demande n'est pas une passerelle vertigineuse, mais le ciment d'une cité, de la cité des empereurs et des sultans. Un pont militaire, un pont commercial, un pont religieux.

Un pont politique.

Un morceau d'urbanité.

Les ingénieurs, les maquettistes, Mesihi, Falachi et Manuel ont les yeux rivés sur Michel-Ange, comme on regarde une bombarde la mèche allumée. Ils attendent que l'artiste se calme.

Ce qu'il fait. Son regard pétille, il sourit, on dirait qu'il vient de sortir d'un songe trop agité.

Il écarte du pied les débris de la maquette, puis dit calmement :

— Cet atelier est magnifique. Au travail. Manuel, emmène-moi voir la basilique Sainte-Sophie, s'il te plaît.

Le 18 mai 1506 Michelangelo Buonarroti, debout sur la brève esplanade, observe l'église qui, cinquante ans plus tôt, était encore le centre de la chrétienté. Il pense à Constantin, à Justinien, à la pourpre des empereurs et aux croisés plus ou moins barbares qui y entrèrent à cheval pour en ressortir chargés de reliques ; il repensera, vingt ans plus tard, au moment de dessiner un dôme pour la basilique Saint-Pierre de Rome, à la coupole de cette Sainte-Sophie dont il aperçoit le profil depuis la place où les Stambouliotes se pressent pour la prière de l'après-midi, guidés par l'horloge humaine du muezzin.

A ses côtés, Mesihi, l'enfant de Pristina, se rappelle peut-être lui aussi son émotion en arrivant pour la première fois à Constantinople, à Istanbul, depuis peu résidence du sultan et capitale de l'Empire ; toujours est-il qu'il prend le sculpteur par le bras et lui dit, en désignant les fidèles qui passent dans l'immense narthex du bâtiment :

— Suivons-les, *maestro*.

Et Michel-Ange, aidé par la main du poète et la fascination qu'exerce sur lui le sublime édifice, surmonte sa peur et son dégoût des choses musulmanes pour y pénétrer.

Le sculpteur n'a jamais rien vu de semblable.

Dix-huit piliers des plus beaux marbres, des dalles de serpentine et des placages de porphyre, quatre arcs en plein cintre qui portent un dôme vertigineux. Mesihi le conduit à l'étage, sur la galerie d'où l'on domine la salle de prière. Michelangelo n'a d'yeux que pour la coupole, et surtout, pour les fenêtres par lesquelles s'introduit, en force, un soleil découpé en carrés, une lumière joyeuse qui dessine des icônes sans images sur les parements.

Une telle impression de légèreté malgré la masse, un tel contraste entre l'austérité extérieure et l'élévation, la lévitation, presque, de l'espace intérieur, l'équilibre des proportions dans la simplicité magique du plan carré où s'inscrit parfaitement le cercle du dôme, le sculpteur en a presque les larmes aux yeux. Si seulement Giuliano da Sangallo son maître était là. Le vieil architecte florentin se mettrait sans doute immédiatement à dessiner, à relever des détails, à tracer des élévations.

En dessous de lui, dans le chœur, les fidèles se prosternent sur les innombrables tapis. Ils s'agenouillent, posent le front à terre, puis se relèvent, regardent leurs mains tendues devant eux comme s'ils tenaient un livre, avant de les porter à leurs oreilles pour mieux entendre une clameur silencieuse,

et s'agenouillent à nouveau. Ils marmonnent, psal-
modient, et le bruissement de toutes ces paroles
inaudibles bourdonne et se mêle à la lumière pure,
sans images pieuses, sans sculptures qui détournent de Dieu le regard ; seules quelques arabes-
ques, des serpents d'encre noire, semblent flotter
dans l'air.

Etres étranges que ces mahométans.

Etres étranges que ces mahométans et leur ca-
thédrale si austère, sans même une image de leur
Prophète. Par l'intermédiaire de Manuel, Mesihi
explique à Michel-Ange que les enduits de plâtre
blanc dissimulent les mosaïques et les fresques
chrétiennes qui recouvraient autrefois les murs.
Les calligraphies sont nos images, maître, celles
de notre foi. Manuel déchiffre pour l'artiste les écritures barbares : Il n'y a de dieu que Dieu, Mohammad est le prophète de Dieu.

— Mohammad est ici celui que vous appelez
Maometto, maître.

Celui que Dante envoie au cinquième cercle de
l'Enfer, pense Michel-Ange avant de reprendre sa
contemplation du bâtiment.

Constantinople, 19 mai 1506
A Buonarroto di Lodovico di Buonarrota Simoni
in Firenze

*Buonarroto, j'ai reçu aujourd'hui 19 mai une let-
tre de toi dans laquelle tu me recommandes Piero
Aldobrandini et m'enjoins de faire ce qu'il me demande. Sache qu'il m'écrit jusqu'ici pour que je
lui fasse fabriquer une lame de dague, et que j'y
mette du mien pour qu'elle soit merveilleuse.
J'ignore comment je pourrais le servir vite et bien :
d'abord parce que ce n'est point ma profession,
et ensuite car je n'ai pas de temps à y consacrer.
Cependant je m'ingénierai pour qu'il soit satisfait,
d'une manière ou d'une autre.*

*Pour vos affaires, et particulièrement celles de
Giovan Simone, j'ai tout compris. J'aimerais qu'il
s'installe dans ta boutique, car je souhaite l'aider
autant que vous autres ; et si Dieu m'accorde son
secours, comme toujours jusqu'à présent, j'espère
avoir assez vite terminé ce que je dois réaliser ici,
puis je rentrerai et j'accomplirai ce que je vous ai
promis. Pour l'argent dont tu me dis que Giovan
Simone veut l'investir dans un négoce, il me semble
que tu devrais l'inciter à attendre mon retour, et
nous réglerions tout d'un coup. Je sais que tu me
comprends, et cela me suffit. Dis-lui de ma part*

que s'il voulait tout de même la somme dont tu me parles, il faudrait la prendre du compte de Santa Maria Maggiore. D'ici je n'ai encore rien à vous envoyer, parce que je n'ai touché que peu d'argent sur mon travail, qui est encore chose douteuse, et qui pourrait provoquer ma ruine. Pour cela je vous demande d'être patients quelque temps, jusqu'à mon retour.

Quant au désir de Giovan Simone de me rejoindre, je ne le conseille pas pour le moment, car je réside ici dans une méchante chambre et je n'aurais point la possibilité de le recevoir comme il le faudrait. S'il insiste dis-lui qu'on ne peut pas venir jusqu'ici en une journée de cheval !

Rien de plus.

Priez Dieu pour moi et pour que tout aille bien.

Ton Michelagnolo

19 mai : bougies, lampe, deux petites pièces ;
brouet (herbes, épices, pain, huile) autant ; pois-
sons en friture, deux pigeons, un ducat et demi ;
service, une petite pièce ; couverture de laine, un
ducat.

Eau fraîche et claire.

Un luth, une mandore et une viole que Michel-Ange ne sait pas appeler *oud*, *saz*, et *kaman*, accompagnés d'un tambour de basque animé par les doigts tantôt caressants, tantôt violents d'une jeune femme habillée en homme, dont les bracelets de métal tintent en rythme, ajoutent de temps en temps une percussion métallique au concert et distraient un peu l'artiste florentin de cette musique à la fois sauvage et mélancolique : c'est avec cet accompagnement que la jeune femme – ou le jeune homme, on ne saurait jurer de son sexe, pantalon bouffant et ample chemise – chante des poèmes auxquels Michelangelo ne comprend rien. Entre deux couplets, pendant que le petit orchestre s'en donne à cœur joie, elle, ou il, danse ; une danse élégante, toute en retenue, où le corps tourne, évolue autour d'un axe fixe, sans que les pieds, presque, ne se déplacent. Une ondulation lente de cordage lâché manipulé par le vent. Si c'est un corps de femme, il est parfait ; si c'est un corps d'homme, Michel-Ange donnerait cher pour voir saillir les muscles de ses cuisses et de ses mollets, son ossature se mouvoir, ses épaules animer ses biceps et ses pectoraux. Par instants, le pantalon bouffant laisse entrevoir une cheville fine mais puissante, tordue par l'effort ; la chemise, qui s'arrête au-dessous du coude, avant les bracelets, dévoile en rythme les saillies des muscles de l'avant-bras, que le sculpteur chérit comme la plus belle partie du corps, celle à laquelle on peut le plus facilement imprimer mouvement, expression, volonté.

Petit à petit, assis en tailleur sur ses coussins, Michel-Ange se sent envahi par l'émotion. Ses oreilles en oublient la musique, alors que c'est peut-être la musique elle-même qui le plonge dans cet état, lui fait vibrer les yeux et les emplit de larmes qui ne couleront pas ; comme dans l'après-midi à Sainte-Sophie, comme chaque fois qu'il touche la Beauté, ou l'approche, l'artiste frémit de bonheur et de douleur mêlés.

Mesihi, à ses côtés, l'observe ; il le voit pris par ce plaisir du corps et de l'âme ensemble que seul l'Art, ou peut-être l'opium et le vin, peut offrir, et il sourit, content de découvrir que l'hôte étranger s'émeut au rythme des bijoux androgynes qu'il ne quitte pas du regard.

Après la visite de la basilique, Michel-Ange a souhaité se reposer un peu, non sans avoir donné auparavant un premier ordre à son équipe, que Manuel s'est empressé de transmettre : Il me faut absolument des plans et relevés de Sainte-Sophie, coupes et élévations. Rien de plus facile, lui a-t-on assuré, mais pour quoi faire ? Le sculpteur est resté évasif. Puis il s'est retiré dans la sobriété de sa chambre, absorbé par le papier et la plume jusqu'à ce que les voix toujours surprenantes de ces cloches humaines au haut des minarets lui confirment, avec l'ombre s'allongeant sur sa page, que le soleil venait de se coucher. Il avait écrit deux lettres, l'une à son frère Buonarroto à Florence, pour donner des instructions au sujet de son frère cadet Giovan Simone, et l'autre à Giuliano da Sangallo à Rome, courrier qu'il confiera le lendemain au marchand Maringhi. Il les avait à peine pliées que

Manuel a frappé à sa porte, pour lui annoncer la visite de Mesihi de Pristina, qui souhaitait le convier à une soirée ; ensuite, on boirait et on souperait, si le cœur lui en disait. Michel-Ange a hésité, mais la douce insistance de l'interprète et du poète ainsi que la présence possible du grand vizir Ali Pacha en personne l'ont décidé.

Il s'est donc laissé conduire, à pied à travers les rues tièdes de la ville. Les boutiques fermaient, les artisans cessaient le travail ; les parfums des roses et du jasmin, décuplés par le soir, se mêlaient à l'air marin et aux effluves moins poétiques de la cité. Le sculpteur, encore ébloui par sa visite de l'après-midi, était étonnamment bavard. Il a expliqué à Mesihi à quel point Constantinople lui rappelait Venise, qu'il avait visitée dix ans auparavant ; il y avait quelque chose de Sainte-Sophie dans la basilique Saint-Marc, quelque chose qui s'y exprimait de façon brouillonne, étouffée par les piliers, quelque chose que l'artiste ne savait pas réellement décrire, peut-être juste l'illusion du souvenir. Mesihi l'a interrogé sur Rome, sur Florence, sur les poètes et les artistes ; Michel-Ange a parlé de Dante et de Pétrarque, génies indépassables dont ni Manuel ni Mesihi n'avaient jamais entendu le nom ; de Laurent le Magnifique, regretté patron des Arts qui avait transformé Florence. La conversation est passée à Léonard de Vinci, seul personnage que Manuel et Mesihi pouvaient citer ; Michel-Ange a essayé de leur expliquer que le vieil homme était détestable, prêt à se vendre à toutes les bourses, à aider toutes les armées en guerre, avec des idées d'un autre temps sur l'Art et la nature des choses. Mesihi a raconté comment, au début de son règne, le sultan Bayazid avait été en guerre avec le pape, à cause de son frère Djem, rival renégat, qui s'était réfugié en Italie, à Rome d'abord, puis auprès du roi de Naples ; comment cette guerre avait été suivie d'une autre, avec la république de Venise. L'Empire n'était en paix avec les puissances d'Italie que depuis quelques années.

Ils sont parvenus à une porte ferrée au milieu de hauts murs sans fenêtres, porte dans laquelle s'est ouvert bien vite un judas. Un serviteur les a introduits dans une cour fleurie, éclairée de flambeaux. Dans une pièce au plafond de bois qui donnait sur ce patio on avait installé des coussins et des tapis. On leur a servi des boissons parfumées et des fruits rafraîchis. Puis d'autres convives sont arrivés ; parmi eux le vizir Ali Pacha et son inséparable page génois, ils ont salué Michel-Ange avec une distance que l'artiste a jugée humiliante, le concert a commencé, le sculpteur s'est ému, et à présent il hésite à applaudir la danseuse ou le danseur qui vient d'achever son extraordinaire parade. Mais il se retient, voyant que l'assistance se contente de reprendre ses bavardages sans autre marque d'admiration. Mesihi se retourne vers lui, et lui demande en souriant, dans son franc étrange, si le spectacle est à son goût. Le Florentin acquiesce avec passion, lui qui n'a jamais été intéressé par la musique, sans doute car la musique, chez lui, n'est qu'une triste activité de moine et la danse, un travail de montreur d'ours ou de noceurs paysans.

Incapable de suivre les débats en turc, Michel-Ange, encore frémissant d'émotion, poursuit sa contemplation du danseur (il est de plus en plus persuadé qu'il s'agit d'un homme et non pas d'une femme) qui s'est assis en tailleur, parmi les musiciens, à quelques pas. Il ne détourne le regard, gêné, que lorsque cette beauté esquisse un sourire vers lui. Heureusement il n'a pas besoin de cacher son trouble. Mesihi s'est levé, dans les murmures des spectateurs. Debout, il commence à réciter des vers : une mélodie harmonieuse, rythmée, dont Michel-Ange ne comprend que les assonances. Le luth accompagne par moments le poète ; parfois le public ponctue les fins de vers de ah au *h* interminable, de soupirs, de murmures admiratifs.

Quand Mesihi se rassoit, Manuel essaie en vain de traduire ce que l'on vient d'entendre ; Michelangelo saisit juste qu'il était question d'amour, d'ivresse et de cruauté.

Dans la solitude désemparée de celui qui ignore tout de la langue, des codes, des usages de la réunion à laquelle il prend part, Michel-Ange se sent vide, objet d'attentions qu'il ne saisit pas. Mesihi s'est assis de nouveau à ses côtés ; Ali Pacha a provoqué la joie bruyante de l'assemblée en prononçant, presque en chantant, ces paroles mystérieuses, *Sâqi biyâ bar khiz o mey biyâr*, aussitôt suivies d'effet : un serviteur a distribué des coupes bleutées, Manuel a expliqué l'évidence, *Viens échanson, lève-toi et apporte le vin*, et d'un pas magique, d'un geste où le lourd vase de cuivre ne pesait en rien, le danseur ou la danseuse si léger, si légère, a rempli les verres l'un après l'autre, en commençant par celui du vizir. Michel-Ange le génie a frissonné quand les étoffes lâches, les muscles tendus se sont approchés si près, et, lui qui ne boit jamais, il porte maintenant la coupe à ses lèvres, en signe de gratitude envers ses hôtes et en hommage à la beauté de celui ou celle qui lui a servi le vin épais et épicé. Cyprès lorsqu'il est debout, c'est un saule quand, penché sur le buveur, l'échanson incline le récipient d'où jaillit le liquide noir aux reflets rouges dans la lueur des lampes, des saphirs qui jouent aux rubis.

Les commensaux ont formé un cercle, les musiciens se tiennent à l'écart. Le danseur, la danseuse s'assoit pour redevenir chanteur ou chanteuse le temps que les verres soient vidés. Fasciné par la voix puissante qui s'envole si facilement dans les aigus, Michel-Ange n'écoute pas l'explication du traducteur, qui s'échine à commenter le chant. Cette deuxième ivresse, celle de la douceur des traits, des dents d'ivoire entre les lèvres de corail, de l'expression des mains fragiles posées sur les genoux, est plus forte que le vin capiteux qu'il engloutit pourtant à pleines gorgées, dans l'espoir qu'on le resserve, dans l'espoir que cette créature si parfaite s'approche de lui à nouveau.

Ce qui se produit, et se reproduit entre chanson et chanson des heures durant jusqu'à ce que, vaincu par tant de plaisirs et de vin, le sobre Michelangelo s'assoupisse au creux des coussins, comme un enfant trop bien bercé.

A maestro Giuliano da Sangallo, architetto del papa in Roma

Giuliano, j'ai compris par une de vos lettres que le pape a eu en mauvaise part mon absence et que Sa Sainteté est prête à déposer les fonds et faire tout ce dont nous étions convenus, qu'il souhaite mon retour et désire que je ne doute de rien.

En ce qui concerne mon départ de Rome, la vérité est que j'ai entendu le pape dire, le Samedi saint, à table, parlant avec un joaillier et le maître de cérémonie, qu'il ne voulait plus dépenser un sou en pierres, grosses ou petites : ce qui m'étonna fort. Avant de le quitter, je lui demandai ce dont j'avais besoin pour poursuivre mon ouvrage. Sa Sainteté me répondit que je revienne le lundi : j'y retournai le lundi et le mardi et le mercredi et le jeudi, en vain. Enfin, le vendredi matin, je fus éconduit, c'est-à-dire plutôt chassé, et celui qui me jeta dehors disait qu'il me reconnaissait, mais qu'il en avait reçu l'ordre.

Alors, puisque j'avais ouï le samedi les paroles susdites, en voyant l'effet, je conçus un grand désespoir. Mais ceci ne fut pas la seule cause de mon départ, il y a aussi une autre affaire, que je ne veux pas écrire ici ; il suffit d'expliquer que, si j'étais resté à Rome, on aurait érigé mon tombeau

*avant celui du pape. C'est la raison de ce mouve-
ment subit.*

*Vous m'écrivez à présent de la part du pape, et
vous lui lirez sans doute ces mots : que Sa Sainteté sache que je suis plus que jamais disposé à
achever l'œuvre. Voilà près de cinq ans que nous
sommes d'accord sur la sépulture, elle sera à Saint-
Pierre et aussi belle que je l'ai promis : je suis certain que, si elle se fait, il n'y aura rien de pareil dans
le monde.*

*Je vous prie donc, mon très cher Giuliano, de
me faire parvenir la réponse.*

Rien de plus.

*Ce jour du 19 mai 1506,
Votre Michelagnolo, sculpteur à Florence*

Le sobre Michelangelo s'est assoupi au creux des coussins et se réveille seul et angoissé, dans son lit de bois. Des lambeaux de cauchemar lui scellent les paupières. Il se souvient vaguement que Mesihi et Manuel l'ont ramené dans une voiture ou une chaise à porteurs et l'ont jeté sur son lit. La honte l'étreint. Il serre les dents. Tire sur sa barbe à l'arracher. La douleur des remords est telle qu'il se réfugie dans la prière. *Mon Dieu pardonnez-moi mes péchés, mon Dieu pardonnez-moi d'être auprès d'infidèles, mon Dieu libérez-moi de la tentation et préservez-moi du mal.*

Puis il se lève, chancelant, comme au sortir du bateau dont il a débarqué quelques jours auparavant, et décide de rentrer à Florence au plus tôt. Sans doute a-t-il peur ; peut-être voit-il, penché au-dessus de lui, le pape furieux brandissant l'excommunication ; il pense au Jugement dernier : il va rejoindre Mahomet dans un des cercles de l'Enfer, où il sera dépecé et éventré pour l'éternité, au milieu des diables et des démons.

Mais n'est-ce pas le pape lui-même qui a provoqué ce départ ? Dieu ne l'a-t-il pas voulu ? Sa Sainteté ne l'a-t-elle pas fait chasser comme un indésirable, qui plus est sans le payer ? Seuls ses frères savent qu'il se trouve à Constantinople. Il cache son séjour pour le moment et date ses autres lettres de Florence,

par l'intermédiaire du marchand Maringhi, auquel
il a demandé la plus grande discrétion. Quand bien
même on saurait qu'il n'est plus en Toscane, on le
penserait à Bologne, à Venise, à Milan, même, mais
certainement pas auprès du Grand Turc.

Une fois n'est pas coutume, l'immense sculpteur
se rend dans la salle d'eau et, autant pour laver ses
angoisses que pour effacer les effets du vin lourd
de la veille, il s'asperge le visage d'eau glacée. Puis,
rasséréné, il se noue par habitude une toile autour
de la tête, en turban, comme le font les artistes pour
se protéger de la poussière du marbre ou des écla-
boussures de pigments. Est-ce parce qu'il a pensé
aux sculptures du tombeau de Jules II, par simple
manie, ou pour conjurer les effets de la migraine,
comme si son cœur battait fort dans ses méninges
alourdies par le vin, qui raidit aussi bien le col que
l'empois ? Sans doute tout cela à la fois.

Lorsqu'on frappe à sa porte, le sculpteur est à sa
table, en train d'ébaucher, de mémoire, les chevilles et les mollets de l'échanson de la veille, à
traits fins, rapides ; il n'a pas retenu son nom ;
Mesihi lui a expliqué quelque chose sur sa prove-
nance, son origine lointaine qu'il a oubliée aussi.
Il lève les yeux à regret de son dessin.

— Mesihi de Pristina est là, *maestro*.

Le serviteur du marchand Maringhi lui apporte,
avec la nouvelle de la visite, un bouillon d'entrailles
et un morceau de pain.

— Je descends, plutôt. Je mangerai en bas.

Il passe une tunique, chausse ses galoches, sort
sur la galerie, marche jusqu'à l'escalier et atteint la
cour. Mesihi l'attend, assis sur un tabouret à l'ombre
du grand figuier. Le ciel d'Istanbul est extraordinairement bleu, ce matin-là, pure couleur étalée
jusqu'aux pierres du caravansérail, tout contre les
feuilles de l'arbre au vert si dense.

Le serviteur approche un second tabouret, une caisse de bois, deux assiettes de consommé fumant, une miche brune et quelques pousses d'ail de printemps.

Mesihi s'est levé en voyant approcher Michelangelo, il l'a salué avec grâce. Elégamment vêtu, le sourire brillant, la silhouette élancée, le poète a pris soin de maquiller légèrement ses yeux, sans doute pour cacher les effets du manque de sommeil et de la débauche. En l'absence du drogman Manuel, les deux hommes doivent se contenter pour communiquer des rudiments de franc que sait Mesihi. Michel-Ange s'applique à parler doucement, à articuler ; cette langue rappelle sans doute à Mesihi les marchands italiens de son enfance, les intonations dalmates de sa mère, chrétienne capturée à Raguse. Ils ne parlent ni d'Art, ni de poésie ni d'architecture, mais du goût de la soupe, de la clémence du jour ; pour des raisons différentes, ni l'un ni l'autre n'évoque la soirée de la veille. Le déjeuner achevé, le domestique approche un broc de cuivre et leur verse de l'eau sur les mains.

Rejoints par un dessinateur et un ingénieur, le grand artiste et le poète favori du vizir quittent les entrepôts de Maringhi le Florentin pour se rendre sur le port.

Michel-Ange note le nom des marchandises même s'il ignore celui des embarcations de toutes tailles qui les charrient, pressées de déposer leur cargaison pour laisser la place à d'autres, huile de Mytilène, savons de Tripoli, riz d'Egypte, mélasse de Crète, tissus d'Italie, charbon d'Izmit, pierres du Bosphore.

Durant le reste de la matinée, sur les quais, autour de la porte dans les remparts de la ville et jusqu'au milieu du port, où on les promène en barque, Michel-Ange et les ingénieurs observent et mesurent. Le sculpteur florentin contemple le paysage, la colline fortifiée de Péra de l'autre côté de la Corne d'Or, la gloire de Stambul qui lui fait face ; les géomètres calculent l'étendue exacte du bras de mer, montrent à l'artiste l'emplacement précis prévu pour le pont. On discute unités de distance, coudées florentines ou vénitiennes, *kulaç* et *endazé* ottomans ; on débarque enfin sur l'autre rive, ce faubourg si escarpé que les tours qui le défendent semblent parallèles à la pente.

Etres étranges que ces mahométans si tolérants envers les choses chrétiennes. Péra est peuplée principalement de Latins et de Grecs, les églises y sont nombreuses. Quelques juifs et Maures venus de la lointaine Andalousie se distinguent par leurs costumes. Tous ceux qui ont refusé de devenir chrétiens ont récemment été chassés d'Espagne.

La visite terminée, les mesures prises, l'artiste exprime le désir de rentrer à Constantinople pour se remettre à dessiner.

Cela commence par des proportions. L'architecture est l'art de l'équilibre ; tout comme le corps est régi par des lois précises, longueur des bras, des jambes, position des muscles, un édifice obéit à des règles qui en garantissent l'harmonie. L'ordonnancement est la clé d'une façade, la beauté d'un temple provient de l'ordre, de l'articulation des éléments entre eux. Un pont, ce sera la cadence des arches, leur courbe, l'élégance des piles, des ailes, du tablier. Des niches, des gorges, des ornements pour les transitions, certes, mais déjà, dans le rapport entre voûtes et piliers, tout sera dit.

Michel-Ange n'a pas d'idée.

Cet ouvrage doit être unique, chef-d'œuvre de grâce, autant que le *David*, autant que la *Pietà*.

En traçant ses premières esquisses, il pense à Léonard de Vinci, à qui tout l'oppose, à croire qu'ils vivent dans deux époques distantes d'une infinité d'éons.

Michel-Ange baye aux corneilles sur ses planches. Il ne voit pas encore ce pont. Il se noie dans des détails. Il n'a que très peu d'expérience de l'architecture ; les croquis du tombeau de Jules sont son œuvre la plus architecturale du moment. Il aimerait que Sangallo soit à ses côtés. Il regrette d'avoir accepté de relever ce défi. Il s'énerve. Le risque est énorme. On peut non seulement le savoir ici, mais aussi l'atteindre. Il ne doute pas un instant que la main de fer du pape ou les mortelles conspirations romaines puissent le frapper où bon leur semble.

Un pont gigantesque entre deux forteresses.

Un pont fortifié.

Michel-Ange sait que c'est en dessinant que les idées viennent ; il trace inlassablement des formes, des arcs, des piles.

L'espace entre les remparts et la rive est court.

Il pense au vieux pont médiéval de Florence, cette grenouille surmontée de créneaux et peuplée de boucheries à l'odeur de cadavre, étroite, ramassée sur elle-même, qui ne donne à voir ni la majesté du fleuve ni la grandeur de la ville. Il se souvient du sang qui coule dans l'Arno par des rigoles au moment de l'abattage des bêtes ; il a toujours eu ce pont en horreur.

L'ampleur de la tâche l'effraie.

Le dessin de Vinci l'obsède. Il est vertigineux, et pourtant erroné. Vide. Sans vie. Sans idéal. Décidément Vinci se prend pour Archimède et oublie la beauté. La beauté vient de l'abandon du refuge des formes anciennes pour l'incertitude du présent. Michel-Ange n'est pas ingénieur. C'est un sculpteur. On l'a fait venir pour qu'une forme naisse de la matière, se dessine, soit révélée.

Pour le moment, la matière de la ville lui est si obscure qu'il ne sait avec quel outil l'attaquer.

Michel-Ange a introduit un nouveau rituel dans sa vie à demi oisive, en plus de la promenade quotidienne avec Mesihi. Il demande à Manuel de lui faire la lecture. Chaque jour après midi le drogman le rejoint et lui traduit à vue des poèmes, des contes turcs ou persans, des traités grecs ou latins qu'ils sont allés ensemble choisir dans la belle bibliothèque toute neuve que, privilège de roi, Bayazid a ouvert à l'artiste.

Décidément ces Ottomans sont les maîtres de la lumière. La bibliothèque de Bayazid, comme sa mosquée, sur une hauteur, est baignée d'un soleil omniprésent mais discret, dont jamais les rayons ne tombent directement sur les lecteurs. Il faut toute l'attention d'un Michel-Ange pour découvrir, dans le jeu savant de la position et de l'orientation des ouvertures, le secret de l'harmonie miraculeuse de cet espace simple dont la majesté, au lieu d'écraser le visiteur, met celui-ci au centre du dispositif, le flatte, l'exalte et le rassure.

La curiosité de Michel-Ange est sans limites.

Tout l'intéresse.

Il choisit des manuscrits inconnus, des récits dont il ignore tout ; il fait lire à Manuel *Le Banquet*, et s'amuse des jeux de Socrate, de ses sandales pour ne pas se salir les pieds, car il s'est fait beau pour aller boire chez Agathon ; les traités savants l'intéressent surtout pour les histoires qu'ils recèlent.

Par exemple des *Eléments* de Vitruve, seul traité d'architecture antique connu, Michel-Ange retiendra bien plus l'anecdote de Dinocrate que les considérations sur les proportions des temples ou l'organisation urbaine. *Dinocrate, comptant sur son expérience et son habileté, partit un jour de Macédoine pour se rendre à l'armée d'Alexandre, qui était alors maître du monde, et dont il désirait se faire connaître. En quittant son pays, il avait emporté des lettres de recommandation de ses parents et de ses amis pour les personnages les plus distingués de la cour, afin d'avoir un accès plus facile auprès du roi. Ayant été reçu par eux avec bienveillance, il les pria de le présenter au plus tôt à Alexandre. Promesse lui en fut faite ; mais l'exécution se faisait attendre : il fallait trouver une occasion favorable. Pensant qu'ils se moquaient de lui, Dinocrate n'eut plus recours qu'à lui-même. Sa taille était haute, son visage agréable. Chez lui la beauté s'unissait à une grande dignité. Ces présents de la nature le remplissent de confiance. Il dépose ses vêtements dans son hôtellerie, se frotte le corps d'huile, se couronne d'une branche de peuplier, puis, se couvrant l'épaule gauche d'une peau de lion et armant sa main droite d'une massue, il se dirige vers le tribunal où le roi rendait la justice. La nouveauté de ce spectacle attire l'attention de la foule. Alexandre aperçoit Dinocrate, et, frappé d'étonnement, ordonne qu'on le laisse approcher, et lui demande qui il est. "Je suis l'architecte Dinocrate, répondit-il ; la Macédoine est ma patrie. Les modèles et les plans que je présente à Alexandre sont dignes de sa grandeur. J'ai donné au mont Athos la forme d'un homme qui, dans la main gauche, tient l'enceinte d'une cité, et dans la droite une coupe où viennent se verser les eaux de tous les fleuves qui sortent de la montagne, pour de là se répandre dans la mer."*

Allongé sur son lit de bois, Michel-Ange écoute avec passion la voix hésitante de Manuel. Ce Dinocrate est ingénieux.

Depuis la nuit des temps il faut s'humilier devant les Césars.

Il s'imagine face à Jules II, revêtu d'une peau de bête, un casse-tête à la main et ne peut s'empêcher d'éclater de rire.

20 mai : poivre en grains, bâtons de cannelle, mus-
cade, camphre, piments séchés, pistils de safran,
herbe du Turc, aigremoine, cinnamome, cumin,
amandes d'eucalyptus, euphorbe et mandragore
d'Orient, le tout quatre bonnes onces pour deux
aspres seulement, il y aurait fortune à faire avec
ce commerce.

Michel-Ange a passé la journée à arpenter la
ville et ses bazars en compagnie de Mesihi le poète.
Le sculpteur est surpris de s'entendre aussi bien
avec un infidèle. Leur amitié est aussi puissante
que discrète.

Mesihi a entraîné Michel-Ange loin vers le sud,
au-delà des murailles de Byzance, dans un étrange
marché en plein air, le marché du vivant, des hommes et des animaux. Michel-Ange a observé avec
frayeur les corps élancés des esclaves noirs venus
d'Abyssinie, les femmes blanches enlevées dans le
Caucase ou en Bulgarie, les caravanes de malheu-
reux liés les uns aux autres qui attendent un sort
meilleur dans la demeure d'un riche Stambouliote ou
sur un chantier de construction. Il a vite détourné le
regard devant la misère de ses coreligionnaires.

Les bêtes étaient encore plus impressionnantes.

Il y avait là toute la création, ou presque. Des
bœufs, des moutons, des chevaux dorés, des ale-
zans, des coursiers arabes d'un noir de nuit, des

dromadaires à poil court, des chameaux à longue robe de laine, et, dans un recoin, les mammifères les plus rares, venus de l'Inde lointaine à travers la Perse.

Mesihi s'amusait grandement de la stupéfaction du Florentin.

Deux petits éléphants donnaient de la trompe contre leur mère.

Michelangelo a souhaité s'approcher et les caresser.

— On dit que cela porte chance, Mesihi.

Le poète a beaucoup ri en voyant l'artiste aller jusqu'à marcher dans la boue pour toucher du bout des doigts la peau rugueuse des énormes bestioles.

— Vous en voulez un ?

Le Florentin a imaginé un instant la tête de Maringhi le pingre s'il découvrait un éléphant dans sa cour, en train de se laver dans son bassin. Perspective tout à fait plaisante.

— Je m'en voudrais d'infliger à ce somptueux animal la pauvre pitance que l'on sert chez mon hôte, Mesihi.

— C'est très juste, *maestro*. Regardez, j'ai trouvé ce qui vous conviendrait mieux.

Dans une haute cage de métal, un minuscule singe couleur fauve, la main à la bouche, observait avec méfiance le poète. A la vue de Michel-Ange, il s'est mis à exécuter une petite danse, s'est suspendu par la queue aux barreaux, avant de retomber gracieusement sur le sol et de saluer, comme un artiste après un numéro.

Michel-Ange a applaudi en riant.

— Il sait reconnaître un public favorable, on dirait, a dit Mesihi goguenard.

— Vous avez raison. Qui plus est, sa barbiche lui donne un air tout à fait sérieux. C'est un singe noble, digne d'un haut personnage.

— Alors je vous l'offre. Il vous tiendra compagnie pendant que vous travaillez.

Michel-Ange n'a pas cru la proposition sérieuse et n'a donc pas protesté ; lorsqu'il s'est retrouvé la cage à la main, il était trop tard.

— C'est trop gentil, vous n'auriez pas dû. Sa compagnie me rappellera la vôtre, a-t-il ajouté d'un air mielleux.

Mesihi, décontenancé quelques secondes, a éclaté d'un grand rire sonore en voyant le sourire perfide sur la bouche de l'artiste.

A présent l'animal gambade joyeusement dans la chambre, saute sur le lit, sur la table, s'accroche à la porte ouverte de son logis, attrape une graine, vient déranger Michel-Ange dans ses annotations.

Cette énergie l'enchante.

Il regarde longtemps le singe comme un enfant observe un mobile imprévisible, avant de se replonger dans ses innombrables croquis de ponts.

C'est à première vue un tout autre art que celui de Mesihi, celui de la hauteur de la lettre, de l'épaisseur du trait qui donne le mouvement, de l'agencement des consonnes, des espaces s'étendant au gré des sons. Accroché à son calame, le poète calligraphe offre un visage aux mots, aux phrases, aux vers ou aux versets. On sait qu'il dessinait aussi des miniatures, mais aucune de ces images ne semble avoir survécu, à moins que l'une d'elles ne dorme encore dans un manuscrit oublié. Des scènes de beuveries, des visages, des jardins où s'étendent les amants et des animaux fantastiques qui les survolent, illustrations de grands poèmes mystiques ou de romans courtois : peintre anonyme, Mesihi ne signe que ses vers, qui sont peu nombreux ; il préfère les plaisirs, le vin, l'opium, la chair, à l'austère tentation de la postérité. On le retrouve souvent ivre, adossé au mur de la taverne, à l'aube ; on le secoue et il lui faut alors suer longtemps dans le bain de vapeur, en se massant les tempes, pour réintégrer son corps. Mesihi aima des hommes et des femmes, des femmes et des hommes, chanta les louanges de son patron et les délices du printemps, tous deux à la fois doux et désespérants ; pas plus que Michel-Ange, il ne connut la paternité, ni même le mariage ; contrairement à Michel-Ange, il ne trouvait aucune consolation dans la foi, même s'il appréciait le calme aquatique de la cour des mosquées et le chant fraternel du muezzin au haut du minaret. Surtout il aimait la ville, les antres bruyants où buvaient les janissaires, l'activité du port, l'accent des étrangers.

Et, plus que tout, le dessin, la blessure noire de l'encre, cette caresse crissant sur le grain du papier.

Ton ivresse m'est si douce qu'elle me grise.

Tu souffles doucement. Tu es en vie. J'aimerais passer de ton côté du monde, voir dans tes songes. Rêves-tu d'un amour blanc, fragile, là-bas, si loin ? D'une enfance, d'un palais perdu ? Je sais que je n'y ai pas ma place. Qu'aucun de nous n'y aura sa place. Tu es fermé comme un coquillage. Il te serait pourtant facile de t'ouvrir, une fente minuscule où s'engouffrerait la vie. Je devine ton destin. Tu resteras dans la lumière, on te célébrera, tu seras riche. Ton nom immense comme une forteresse nous dissimulera de son ombre. On oubliera ce que tu as vu ici. Ces instants disparaîtront. Toi-même tu oublieras ma voix, le corps que tu as désiré, tes tremblements, tes hésitations. Je voudrais tant que tu en conserves quelque chose. Que tu emportes une partie de moi. Que se transmette mon pays lointain. Non pas un vague souvenir, une image, mais l'énergie d'une étoile, sa vibration dans le noir. Une vérité. Je sais que les hommes sont des enfants qui chassent leur désespoir par la colère, leur peur dans l'amour ; au vide, ils répondent en construisant des châteaux et des temples. Ils s'accrochent à des récits, ils les poussent devant eux comme des étendards ; chacun fait sienne une histoire pour se rattacher à la foule qui la partage. On les conquiert en leur parlant de

batailles, de rois, d'éléphants et d'êtres merveilleux ;
en leur racontant le bonheur qu'il y aura au-delà
de la mort, la lumière vive qui a présidé à leur naissance, les anges qui leur tournent autour, les démons qui les menacent, et l'amour, l'amour, cette
promesse d'oubli et de satiété. Parle-leur de tout
cela, et ils t'aimeront ; ils feront de toi l'égal d'un
dieu. Mais toi tu sauras, puisque tu es ici tout contre
moi, toi le Franc malodorant que le hasard a amené
sous mes mains, tu sauras que tout cela n'est qu'un
voile parfumé cachant l'éternelle douleur de la
nuit.

22 mai : cipolin, ophite, sérancolin, serpentin, cannelle, dauphin, porphyre, brocatin, obsidien, cinatique. Que de noms, de couleurs, de matières, alors que le plus beau, le seul qui vaille, est blanc, blanc, blanc, sans veines, rainures ni colorations.

Le marbre lui manque.

Sa douceur dans la dureté. La force délicate qu'il faut pour le travailler, le temps que l'on met à le polir.

Michel-Ange referme en hâte son carnet quand Manuel entre dans sa chambre sans frapper.

— *Maestro*, excusez-moi, mais nous étions préoccupés.

Michelangelo pose sa plume.

— Pourquoi Manuel ? Qu'est-ce qui t'inquiète donc tant que ça ?

Manuel a soudain l'air embarrassé. Décidément ce Florentin est mystérieux.

— Mais *maestro* votre lampe a brûlé toute la nuit, et vous n'avez rien mangé depuis hier matin.

Le singe semble écouter attentivement la conversation depuis son perchoir.

Le sculpteur soupire.

— C'est juste, tu as raison. Maintenant que tu me le dis, je crois que j'ai faim.

Le jeune Grec semble tout à coup rassuré.

— Je peux vous faire monter un repas, si vous le souhaitez.

— C'est bien aimable, Manuel.

Avant de sortir, encore sur le seuil, le drogman a une hésitation.

— Puis-je vous poser une question, maître ?

— Mais bien sûr.

— Qu'avez-vous fait toute la nuit à la lueur de la bougie ? Avez-vous travaillé au pont ?

Michel-Ange sourit de la curiosité naïve du traducteur.

— Non, au risque de te décevoir, non. Je me suis attelé à une tâche bien plus ardue, mon ami. Un vrai défi.

L'artiste sent que la réponse ne satisfait pas entièrement son interlocuteur, qui reste immobile, la main sur la porte.

— J'ai dessiné un éléphant, ajoute-t-il.

Devinant qu'il n'en apprendra pas plus, Manuel abasourdi quitte la pièce pour se rendre aux cuisines.

Avant-hier singes et éléphants, aujourd'hui fer, argent, laiton. Dans la chaleur éblouissante de la forge, Mesihi montre à Michel-Ange le travail des artisans du sultan. L'équilibre le plus parfait entre dureté et ductilité, voilà ce qui confère à une dague ou un sabre sa résistance et son tranchant.

C'est un privilège rare qu'a obtenu Mesihi auprès d'Ali Pacha pour le Florentin. Les arsenaux et leurs techniques sont gardés plus jalousement encore que le harem. Un peu à l'écart de la ville, pour éviter les risques d'incendie, on y forge les épées, les armures, les canons des couleuvrines et des arquebuses. Au cœur de cet arsenal, une petite manufacture réalise les plus belles lames, à l'aide de lingots d'un acier inimitable, importé d'Inde, où les dessins concentriques du damas sont déjà visibles.

Michel-Ange est fasciné par l'activité des forgerons, par la puissance des forgeurs et des manieurs de soufflets. Le chef de l'atelier où Michel-Ange et Mesihi ont affaire est un Syrien, que le sultan a débauché aux mamelouks comme prise de guerre ; il n'a pas l'air d'être incommodé par la chaleur, ni de suer, alors que l'artiste est en nage sous son pourpoint.

Michel-Ange a tiré de sa chemise le dessin qu'il a réalisé le matin, après sa nuit éléphantesque ; c'est un poignard orné, à lame droite, symétrique

sur l'axe de la garde, dans une proportion parfaite, de l'ordre des deux tiers. Le Syrien ouvre de
grands yeux, fait comprendre à Mesihi qu'il est
impossible de réaliser une chose pareille, une arme
païenne, en forme de croix latine, que cela porte
malheur, en irritant Dieu ; Mesihi de Pristina sourit, et explique au Florentin que l'esquisse ne convient pas. Michel-Ange s'étonne. C'est pourtant
une forme pure. Peu soucieux de perdre du temps
dans des arguties théologiques, le sculpteur demande une heure, une table, une mine de plomb
et de l'encre rouge pour les motifs ; on l'installe
dans une pièce à part, bien ventilée, où la chaleur
est plus supportable.

Mesihi ne le quitte pas des yeux.

Il observe la main de l'artiste reproduire son
dessin initial, en retrouver les proportions avec un
compas ; puis courber légèrement la lame vers le
bas, à partir du deuxième tiers, courbure qu'il com-
pense par une inclinaison de la partie haute de la
garde, ce qui donne à l'ensemble un imperceptible mouvement de serpent, ondulation qu'il va
dissimuler par une frise simple, prenant appui sur
la branche inférieure. Deux courbes qui se com-
plètent et s'annulent dans la violence de la pointe.

La croix latine a disparu pour laisser la place à
un chef-d'œuvre d'innovation et de beauté.

Un miracle.

Il a demandé une heure et, en quarante minutes,
les deux tracés sont achevés, face et revers, ainsi
qu'un médaillon pour le détail de la frise.

Content de lui, Michel-Ange sourit ; il demande
un peu d'eau, que Mesihi s'empresse de lui obtenir avant de courir montrer cette beauté au Syrien,
qui s'émerveille à son tour.

Puis il faut choisir le type de damas ; Michel-Ange
se décide pour un acier des plus solides, assez

sombre, dont les dessins quasi invisibles ne gêneront pas son décor.

Ce sera une arme de roi.

Le riche Aldobrandini devra donc en donner un prix royal.

Heureux, les deux artistes retrouvent leur embarcation et quittent Scutari pour Stambul.

A voguer ainsi sur les eaux calmes du Bosphore, Michel-Ange se rappelle la traversée qui sépare Mestre de Venise, où il s'est rendu dans sa jeunesse ; il n'est pas étonnant qu'il y ait tant de Vénitiens ici, songe-t-il. Cette ville ressemble à la Sérénissime, mais dans des proportions fabuleuses, où tout serait multiplié par cent. Une Venise envahie par les sept collines et la puissance de Rome.

Constantinople, 23 mai 1506
A Buonarroto di Lodovico di Buonarrota Simoni
in Firenze

Buonarroto, tu peux annoncer à Aldobran-
dini que j'aurai sa dague, et qu'elle sera splen-
dide. Je pense pouvoir la lui expédier dès le début
du mois prochain. Peut-être serait-il plus sûr
d'attendre mon retour et que je la lui apporte
moi-même, mais il faudra qu'il patiente un peu
plus longtemps. Je ne vois pas l'avancée de mes
travaux ici et ne peux donc encore arrêter une
date.

Je lis dans ta lettre que vous vous trouvez par-
faitement et je m'en réjouis.

Quant à la somme que tu me demandes de nou-
veau, je comprends vos besoins ; sache qu'ici ma
mauvaise chambre me coûte une fortune et que
je n'ai encore rien touché sur les sommes promises.
Comme je te le disais, je t'enjoins de t'en remettre
au compte de Santa Maria Maggiore si Giovan Si-
mone devait encore insister.

Priez Dieu que tout aille pour le mieux.

Rien de plus.

Ton Michelagnolo

Le 27 mai, Ali Pacha le grand vizir fait appeler Michel-Ange auprès de lui par l'intermédiaire de Mesihi. Il souhaite s'enquérir de l'avancée des travaux. Le poète est un peu nerveux en transmettant cette requête au Florentin ; il a senti de l'impatience dans l'ordre du vizir, impatience qui provient sans doute du sultan lui-même.

Bayazid s'inquiète pour son pont.

Le cérémonial est moins impressionnant que lors de leur première rencontre. Ali Pacha reçoit le sculpteur après le divan ; il a dû patienter longtemps, assis à l'ombre d'un arbre, en compagnie de Mesihi le fonctionnaire qui avait du mal à cacher son trouble et marchait de long en large comme le singe dans sa cage.

Falachi est venu chercher Michel-Ange et son accompagnateur pour les introduire devant le substitut de l'ombre de Dieu sur terre. Le Génois est moins avenant qu'à l'accoutumée et Michel-Ange commence à ressentir cette tension qui agite déjà son compagnon.

Assis sur une estrade, entouré de ministres et de serviteurs, Ali Pacha fait signe à Mesihi d'approcher. Michel-Ange reste respectueusement en arrière.

Le dialogue est bref, le vizir prononce à peine deux phrases auxquelles son protégé répond par un mot.

Puis c'est au tour du Florentin.

Cette fois-ci le vizir parle turc. Falachi traduit.

— Le sultan est impatient de découvrir tes études, maître. Et nous aussi.

— Ce sera très bientôt possible, seigneur. Dans dix jours tout au plus.

— On nous a appris que tu n'as pas utilisé les ingénieurs et dessinateurs dont tu disposes, et que tu ne fréquentes pas l'atelier que nous t'avons ouvert. Pourquoi ? N'est-il pas à ton goût ?

— Si seigneur, bien sûr. C'est seulement trop tôt. Dès que j'aurai différents croquis, je ferai réaliser les maquettes et exécuter les plans.

— C'est bien. Nous attendons donc tes résultats. Retourne à ton ouvrage, et que Dieu te garde.

Michel-Ange sent que cette phrase signifie son congé ; il s'incline respectueusement et Falachi le prend par le bras pour le reconduire. Debout, ils attendent quelques secondes qu'Ali Pacha adresse une dernière recommandation à Mesihi, un conseil qui fait sourire le page ; si Michel-Ange avait entendu le Turc, il aurait compris que le vizir espérait que son protégé n'avait pas converti l'architecte invité du sultan à ses mœurs de débauché, et que le retard dans ses travaux n'était pas dû à une fréquentation trop assidue de la taverne.

Au sortir de l'entretien, une fois franchie la porte du divan pour retrouver la cour, Michel-Ange est de méchante humeur.

Sous tous les cieux il faut donc s'humilier devant les puissants.

Pas d'argent neuf.

Pas de nouvelle bourse d'aspres pour ses frais.

Pas un sou de ce qui était prévu dans le contrat.

Faut-il croire que la richesse et le faste appellent l'avarice ?

Dans le sabir qu'ils ont élaboré au fil de leurs rencontres, Michelangelo s'en ouvre à Mesihi, un peu vexé par la remarque de l'artiste. Non, Ali Pacha et Bayazid ne sont ni avaricieux, ni ingrats. Que le sculpteur montre un seul dessin, et il sera couvert d'or.

Il pourrait même être reçu par le sultan en personne, privilège très rare pour un étranger.

Sur la place où se dresse l'entrée monumentale du nouveau palais, il y a un grand rassemblement et des tambours ; un héraut crie ; une troupe de janissaires écartent la foule.

— C'est une exécution, *maestro*. Passons notre chemin.

Mais Michel-Ange veut voir. Lui qui a appris l'anatomie en disséquant des cadavres pourrissant dans les morgues de Florence, qui a vu mourir Savonarole sur le bûcher, il n'est effrayé ni par le sang, ni par la violence faite aux corps. Il s'approche, suivi avec réluctance par Mesihi.

— Ce n'est pas un spectacle pour toi, maître. Partons.

Michel-Ange insiste. Il se plante dans le public, aux premières loges.

On traîne le condamné livide par ses liens ; on l'agenouille avec douceur. L'homme se laisse faire, on le dirait déjà ailleurs ; il courbe de lui-même l'échine en présentant la nuque.

Le bourreau s'approche, la lame de son sabre brille un instant dans le soleil. Le silence absolu de la foule permet d'entendre le craquement bref des cervicales, le déchirement des chairs, le choc mat de la tête contre le dallage et le clapotis liquide du sang giclant sur le sol.

Michel-Ange ferme les yeux une seconde pour recommander l'âme du misérable à Dieu.

Les assistants du bourreau ramassent les dépouilles avec respect et les entourent de linges.

Mesihi a détourné le regard d'un air de dégoût.

Michel-Ange s'étonne de la docilité du condamné.

— On lui a sans doute administré de l'opium pour alléger ses tourments. Partons, maintenant.

Le sculpteur, convaincu qu'il n'y a plus rien à voir, suit son guide.

— Mesihi ?

— Oui, *maestro* ?

— Arrête de m'appeler *maestro*, justement. Mes amis m'appellent Michelagnolo.

Le poète, flatté et ému, reprend vite sa marche de peur qu'on ne le voie rougir.

Dans un des pendentifs de la chapelle Sixtine, à l'opposé du plateau sur lequel Judith porte majestueusement la tête d'Holopherne, David s'apprête à décapiter Goliath, son bras bleu de pigment pur porte un épais cimeterre parallèle au sol, une tache de lumière tombe sur son épaule tordue par l'effort.

Bien sûr, Michel-Ange ne pense pas alors à ces fresques qu'il réalisera trois ans plus tard et qui lui vaudront une gloire encore plus immense ; pour l'heure il n'a qu'un pont en tête, un pont dont il souhaite achever le dessin au plus tôt afin de toucher ses gages et de quitter cette ville troublante, à la fois familière et résolument autre, dans laquelle il ne se lasse pas pourtant de se promener et d'engranger des images, des visages et des couleurs.

Michel-Ange travaille, c'est-à-dire qu'il dessine le matin, dès que la lumière de l'aube le lui permet ; puis Manuel vient lui faire la lecture et il s'assoupit un peu. Vers le soir, il marche avec Mesihi, dont il apprécie la compagnie tout autant que la beauté. Il le quitte avant la nuit, quand le poète se rend invariablement à la taverne pour s'enivrer jusqu'à l'aurore.

Michel-Ange n'était pas très beau, le front trop haut, le nez tordu, brisé lors d'une rixe de jeunesse, les sourcils trop épais, les oreilles un peu décollées.

Il avait sa propre face en horreur, dit-on. On ajoute souvent que s'il recherchait la perfection du trait, la beauté dans les visages, c'est que lui-même en était totalement dépourvu. Seule la vieillesse et la célébrité lui donneront, patine sur un objet au départ fort laid, une aura sans pareille. C'est peut-être dans cette frustration qu'on pourrait trouver l'énergie de son art ; dans la violence de l'époque, dans l'humiliation des artistes, dans la révolte contre la nature ; dans l'appât du gain, la soif inextinguible d'argent et de gloire qui est le plus puissant des moteurs.

Michel-Ange cherche l'amour.

Michel-Ange a peur de l'amour tout comme il a peur de l'enfer.

Il détourne les yeux quand il sent sur lui le regard de Mesihi.

Michel-Ange hurle. C'est la septième fois qu'on le torture. On lui applique un fer rouge sur les jambes ; la douleur l'empêche de sentir l'odeur de la chair brûlée. On lui arrache l'extrémité d'un sein, des lambeaux de peau sur les cuisses, sur les épaules, avec une pince ; on lui brise le bras gauche à l'aide d'un marteau. Il s'évanouit.

On le ranime en lui lançant des seaux d'eau glacée. Il geint.

Il implore Dieu et ses tortionnaires.

Il souhaite mourir ; on ne le laisse pas mourir ; l'inquisiteur verse de l'acide sur ses plaies, il hurle de nouveau, son corps n'est qu'une immense crampe, un arc tendu de souffrance.

Il ne parvient plus à gémir, il est aveugle, tout est noir, mal, bourdonnement.

Le lendemain on le porte au bûcher, sur une place envahie par la foule, une foule pleine de haine, heureuse d'assister au supplice, qui crie des vivats au bourreau.

Il est pris de peur, la peur panique de la douleur et de la mort quand on approche le brandon et qu'il entend crépiter les flammes sous lui, il va brûler, il brûle, le vacarme du brasier couvre ses hurlements désespérés.

Il se réveille, en sueur, la bouche sèche, avant que l'on ne jette ses cendres dans l'Arno.

Il y a longtemps qu'il n'avait pas rêvé de Savonarole. Depuis près de dix ans, la mort du prê-
cheur le rattrape de temps en temps, son visage
dilaté par la chaleur dans un immense cri inau-
dible, ses yeux bouillants qui explosent, ses mains
tendues où les os apparaissent sous la peau.

Michel-Ange frémit ; il scrute la nuit et inspire
désespérément, comme pour avaler de la lumière.

Le 30 mai, alors que son ouvrage n'avance pas, qu'il a déjà dessiné quantité de croquis dont il n'est toujours pas satisfait, Michel-Ange reçoit une lettre, arrivée d'Italie avec les marchandises de Maringhi. Il s'étonne qu'elle ne provienne pas de ses frères ; il ne reconnaît pas la belle écriture large et autoritaire qui s'y déploie sur deux feuillets.

Il tremble en la lisant. Il pâlit. Il tape du pied. Il la retourne en tous sens, il devient rouge de colère, il froisse rageusement la missive en boule, puis la déplie, la relit, son terrible cri de rage alerte Manuel le drogman qui arrive à temps pour le voir déchirer le courrier et envoyer dinguer d'un revers du bras tous les objets posés sur sa table, encrier, plume, charbons et papiers.

Manuel préfère fuir discrètement devant la furie de l'artiste.

Le singe s'est dissimulé sous le lit, effrayé.

Alors voilà.

Une bonne âme a fait savoir à Rome sa présence auprès du Grand Turc. Ce qui devait arriver s'est produit. On le menace d'en informer le pape, on lui prédit la ruine, l'excommunication, la mort même, s'il ne rentre pas au bercail.

Cette missive n'émane pourtant pas du saint-père. Elle n'est pas signée. Qu'il sache la Porte est en paix avec les Etats d'Italie pour le moment. Le grand empire est puissant. Michel-Ange a été engagé loyalement, comme il aurait pu l'être à Milan ou en France. Même Vinci a travaillé pour le sultan. Il s'agit d'une nouvelle cabale. Il imagine les envieux cherchant encore à le perdre, à l'humilier en l'empêchant d'accomplir le grand ouvrage qui l'attend à Constantinople et qui lui vaudra une gloire toujours plus immense, dans le monde entier cette fois-ci.

On ne souhaite pas qu'il réussisse. On veut qu'il reste à jamais un petit sculpteur de cour, un valet.

Il voit clairement quel architecte jaloux pourrait être derrière ce billet.

Le soir, lorsqu'il retrouve Mesihi pour la promenade, Michel-Ange est un peu calmé ; la colère a cédé la place à une triste mélancolie, que le crépuscule sur le Bosphore et la longue plainte du muezzin n'apaisent pas, bien au contraire. Mesihi a eu vent par Manuel de l'épisode de l'après-midi, mais il ne le mentionne pas. Il remarque que son compagnon a soudain l'air fatigué, qu'il est encore plus silencieux qu'à l'accoutumée.

Ils déambulent dans la ville ; Michelangelo est légèrement voûté, traîne un peu des pieds ; lui dont le regard est d'habitude vif et curieux a les yeux fixés sur le sol devant lui.

Mesihi ne l'interroge pas.

Mesihi est discret.

Il se contente de marcher un peu plus près du sculpteur que d'habitude, presque à le toucher, afin qu'il ressente la présence d'un corps ami.

Ils vont vers l'ouest, où le soleil a disparu, laissant une traînée rose au-dessus des collines ; ils dépassent la mosquée grandiose que Bayazid vient d'achever, entourée d'écoles et de caravansérails ; ils suivent un peu la crête, puis descendent avant de parvenir à l'aqueduc construit par un César oublié qui coupe la ville en deux de ses arches de brique rouge. Il y a là une petite place, devant une église ancienne, dédiée à saint Thomas ; la vue est magnifique. Les feux des tours de Péra sont allumés ; la Corne d'Or se perd dans des méandres de brume obscure et, à l'est, le Bosphore dessine une barrière grise dominée par les épaules sombres de Sainte-Sophie, gardienne du fossé qui les sépare de l'Asie.

Michel-Ange pense à Rome.

Il observe cette ville étrangère, Byzance perdue pour la chrétienté ; il se sent seul, plus seul que jamais, coupable, miséreux. Il repasse de mémoire les termes et les menaces de la lettre mystérieuse.

Mesihi lui prend doucement le bras.

— Tout va bien, *maestro* ?

Qu'on ait pour lui des égards dignes d'un vieillard ou d'une bonne femme l'irrite et il rejette violemment la main du poète.

Comment a-t-il pu venir jusqu'ici ? Pourquoi ne s'est-il pas contenté d'envoyer un dessin, comme ce lourdaud de Vinci ?

Si Michelangelo n'avait pas détourné la tête, Mesihi aurait pu apercevoir des larmes de colère briller dans ses yeux.

Maintenant il faut prendre une décision.

Il ne peut risquer tout ce qu'il a construit jusqu'ici, sa carrière, son génie, sa réputation pour un sultan qui n'a même pas daigné le rencontrer.

Il a tenu tête à Jules II le pape guerrier ; il peut bien planter là un Bayazid. Mais il n'a pas encore dessiné le pont. Il n'a toujours pas eu l'idée qui lui manque. Il ne peut donc réclamer ses gages ; partir maintenant serait perdre non seulement la face, mais aussi la fortune que lui propose le sultan.

Ce pli inattendu le hante.

Mesihi est patient ; il se tait quelques minutes, que Michel-Ange se reprenne, puis il lui dit doucement : Regardez là-bas, *maestro*.

Surpris, le sculpteur se retourne.

— Regardez là, en bas.

Michel-Ange jette un œil sur le paysage rongé par la nuit, sans rien distinguer d'autre que les lumières des tours et quelques reflets sur le bras de mer.

— Vous ajouterez de la beauté au monde, dit Mesihi. Il n'y a rien de plus majestueux qu'un pont. Jamais aucun poème n'aura cette force, ni aucune histoire. Quand on parlera de Constantinople, on mentionnera Sainte-Sophie, la mosquée de Bayazid et votre ouvrage, *maestro*. Rien d'autre.

Flatté et ému, Michelangelo sourit en observant les fanaux guider les barques dans leur danse sur les flots noirs.

C'est peut-être parce qu'il est inquiet et oppressé que Michel-Ange accepte de suivre l'homme de Pristina cette nuit-là à la taverne ; peut-être aussi en raison de la confiance qu'il accorde à ce poète mécréant dont il ne connaît aucun vers. Peut-être tout simplement l'esprit du lieu a-t-il eu raison de son austérité. Il emboîte donc le pas à un Mesihi décontenancé par sa décision, contraire à leurs habitudes. Comme le Turc aurait honte d'entraîner l'artiste vers l'un des bouges à soldats qu'il affectionne dans le quartier de Tahtakale, il décide de traverser la ville et d'aller dans un des nombreux estaminets de l'autre côté de la Corne d'Or.

Sur le port ils trouvent facilement un passeur et, après une brève traversée, ils s'engouffrent sous la porte Sainte-Claire, juste avant qu'on ne la ferme pour la nuit ; les buveurs ne pourront quitter le quartier qu'à l'aube.

Michel-Ange regrette déjà sa décision subite ; il aurait mieux fait de retrouver sa chambre pour poursuivre ses dessins, mais l'étrange lettre de menaces a agi comme un vin de vigueur, une fois la surprise et la colère passées. Il n'est point du genre à se laisser intimider.

Ce n'est pas la première fois que quelque jaloux cherche à lui nuire.

A la réflexion, qu'on le sache auprès du Grand Turc ne l'inquiète plus vraiment.

Bayazid est le prince d'une grande puissance d'Europe, pour le moment en paix avec les cités d'Italie, et la peste soit de qui y redira.

Il faut savoir aller jusqu'au bout.

Mesihi se réjouit de voir son compagnon retrouver le sourire ; il projette sur le Florentin ses propres désirs et attribue ce changement d'humeur à la perspective de la boisson. Cette soirée improvisée se doit d'être parfaite. Il leur faut manger, pour ne point boire l'estomac vide, aussi s'attablent-ils dans une auberge où on leur débite quelques tranches d'un rouleau de tripes épicées qu'ils avalent avec un bouillon de pâtes. La population du faubourg surprend de nouveau Michel-Ange ; Turcs, Latins, Grecs et juifs, de la porte de Saint-Antoine à la porte des Bombardes. Les juifs et les chrétiens sont libres de s'installer où bon leur semble, la seule restriction étant qu'ils ne résident ni ne construisent de lieu de culte près d'une mosquée. Péra n'est pas un ghetto. C'est une extension de Constantinople.

Les deux hommes dépassent le gros bastion de l'ancienne forteresse génoise de Galata, au-delà de laquelle s'étendent les cimetières ; Michel-Ange s'étonne de ce que l'on puisse, sans danger apparent, déambuler à pied dans la ville la nuit. Il pense à son pont, à ce fil qui unira ces quartiers nord au centre de la capitale. Quelle cité fabuleuse naîtra alors. Une des plus puissantes du monde, sans aucun doute.

Il était venu pour l'argent, pour dépasser Vinci et se venger de Jules II, et voilà que la tâche le transforme, tout comme la *Pietà* ou le *David* l'ont métamorphosé. Michel-Ange est modelé par son œuvre.

Ils redescendent légèrement vers le sud. Mesihi a décidé où il emmenait le sculpteur, son pas se fait plus rapide. Il se souvient de l'émotion de Michelangelo, la semaine passée, devant la danse et la musique.

Autour de l'ancienne église italienne de Saint-Dominique transformée depuis une dizaine d'années en mosquée se trouve le quartier andalou, où se sont installés les expulsés de Grenade ; le sultan a chassé les dominicains de leur couvent pour l'offrir aux réfugiés, en compensation de la brutalité des Rois Catholiques.

A une distance respectueuse du bâtiment religieux se cache une taverne sans nom, une porte basse dans une vieille maison génoise, d'où suinte la ferveur de la mélancolie.

A peine entrent-ils qu'on reconnaît Mesihi. Plusieurs commensaux se lèvent pour le saluer ; ils s'inclinent devant lui comme devant un grand personnage. La pièce, aux murs décorés de céramiques multicolores jusqu'à un bon mètre du sol, est jonchée de hauts coussins, parsemée de lampes à huile qui enfument l'atmosphère. On devine en Michel-Ange un étranger, à son pourpoint haut et son surcot ; un étranger ou un Franc du quartier qu'on ne connaîtrait pas encore. On les installe dans un angle confortable ; on leur apporte une petite table au plateau de cuivre, des timbales et une aiguière. Le Florentin pense que ces gens se règlent bien pour boire ; il observe l'assistance alterner les coupes de vin et d'eau parfumée, que parfois ils mélangent ; les échansons passent entre les groupes, et versent élégamment l'épais liquide. Le breuvage est doux, avec un parfum d'herbes ; les deux premiers verres se boivent vite, pour atteindre un état qu'on fera durer par la suite en ralentissant le rythme.

Après la deuxième coupe, Michel-Ange est parfaitement détendu.

Il observe les dessins des carreaux de faïence, les visages dans la pénombre, les mouvements des serviteurs ; il écoute la mélodie rugueuse de l'arabe d'Andalousie, qu'il entend pour la première fois, se mêler aux accents chantants du turc.

Lui qui ne fréquente pas les gargotes florentines et encore moins les bouges romains, il se sent étrangement à l'aise dans cette ambiance ni trop sauvage, ni trop raffinée, loin des excès de langueur ou de faste qu'on attribue d'ordinaire à l'Orient.

Mesihi a l'air heureux, lui aussi ; il est en grande conversation avec un de ses voisins, un jeune homme au beau visage, vêtu à la turque, caftan sombre, chemise claire, qui est arrivé peu de temps après eux ; au vu des regards qu'il lui destine, Michel-Ange comprend qu'on parle de lui, et effectivement, peu de temps après, Mesihi les présente.

Le jeune homme s'appelle Arslan, il a habité longtemps à Venise, et, à la grande surprise de l'artiste, non seulement il parle un italien parfait, teinté de vénitien, mais de plus il a vu lui-même, place de la Seigneurie à Florence, le *David* qui vaut tant de gloire au sculpteur.

— C'est une joie de voir réunis deux artistes tels que vous, dit Arslan.

Mesihi est peut-être encore plus flatté que Michel-Ange.

— Buvons en l'honneur de cette rencontre, qui ne peut être fortuite. J'arrive d'Italie, où j'ai accompagné des marchands, c'est mon premier soir en ville. Je n'ai pas vu la capitale depuis deux ans, et c'est un heureux présage que de vous trouver ici.

Ils boivent donc.

Puis viennent la musique et le chant ; Michel-Ange a l'immense surprise de voir apparaître la même chanteuse, le même chanteur que la semaine précédente ; elle s'avance au milieu du cercle des convives, accompagnée d'un luth et d'un tambourin à cymbalettes, et entonne un *muwashshah*, où il est question des jardins perdus de l'Andalousie, de fleurs, d'une fine pluie qui est celle de l'amour et du printemps. Michelangelo se tourne doucement vers Mesihi, et lui sourit ; il devine que son ami lui a fait cette surprise, et l'a conduit à dessein dans la taverne où se produisait, cette nuit-là, la chanteuse à la mode.

Michel-Ange est de nouveau fasciné par sa grâce, par la joie triste de sa mélodie ; il n'accorde qu'une oreille distraite aux explications d'Arslan. Cette fois-ci, il est persuadé qu'il s'agit d'une femme, à cause d'un léger renflement de la poitrine, que l'on note lors de la respiration.

Le jeu de devinette l'amuse autant que la beauté le séduit, malgré l'étrangeté de cette musique inconnue.

Il lui semble d'ailleurs que l'artiste lui lance des regards complices, peut-être parce qu'elle l'a reconnu, seul commensal habillé à la franque.

L'assistance est émue aux larmes ; elle s'installe dans le souvenir du pays disparu, aux frontières de buis, à la douceur de neige.

Comme il n'a aucune idée de ce que pouvait être le royaume de Grenade, ni de sa chute, ni de la violence des Rois Catholiques, Michel-Ange interprète cette ferveur comme une passion démesurée.

On retrouvera les cinq bracelets d'argent autour de la cheville fine, la robe aux reflets orangés, l'épaule dorée et le grain de beauté à la base du cou dans un recoin de la chapelle Sixtine quelques années plus tard. En peinture comme en architecture, l'œuvre de Michelangelo Buonarroti devra beaucoup à Istanbul. Son regard est transformé par la ville et l'altérité ; des scènes, des couleurs, des formes imprégneront son travail pour le reste de sa vie. La coupole de Saint-Pierre s'inspire de Sainte-Sophie et de la mosquée de Bayazid ; la bibliothèque des Médicis de celle du sultan, qu'il fréquente avec Manuel ; les statues de la chapelle des Médicis et même le *Moïse* pour Jules II portent l'empreinte d'attitudes et de personnages qu'il a rencontrés ici, à Constantinople.

Contrairement à la semaine passée, où trop d'émotions et de vin mêlés l'ont endormi comme un enfant en présence d'Ali Pacha, l'alcool rend ses perceptions plus puissantes et décuple ses plaisirs.

Il voudrait connaître ce chanteur, cette chanteuse.

Lui qui a toujours remis le désir à plus tard, qui voit l'amour comme un chant divin écarté de la chair, passé dans la poésie tel le mouvement du bras dans le marbre, pour l'éternité, il tremble d'approcher cette forme mouvante, parfaite, autre, indéfinie.

Mesihi et Arslan remarquent son trouble ; l'un en est un peu jaloux, l'autre amusé. Les chanteuses et les échansons sont là pour charmer et séduire.

Arslan dit quelques mots à Mesihi à voix basse ; le poète semble hésiter un instant, peiné, mais a l'air de se ranger aux idées du jeune homme, bien qu'il le connaisse à peine.

Arslan leur propose d'aller poursuivre la veillée chez lui, à deux pas de là, et d'inviter la belle Andalouse (si c'est bien une femme, et si elle est andalouse) à chanter et danser pour eux seuls, en l'honneur du grand artiste florentin.

Lorsqu'on la lui expose, l'idée enchante Michel-Ange. Ils boivent donc une dernière coupe en attendant la fin du tour de chant ; la taverne est bondée, bruyante, odorante ; le sculpteur se laisse aller au doux dérèglement de tous les sens. Jamais il n'a été aussi loin de Florence et de ses frères, aussi loin de Rome, du pape, des conspirations de Raphaël et de Bramante, aussi loin de son art.

Arslan a discrètement pris des dispositions pour organiser la suite de la soirée, en envoyant prévenir ses serviteurs, afin qu'un souper les attende ; puis, tout aussi discrètement, il s'est chargé d'engager la chanteuse par l'intermédiaire du tavernier et a réglé leurs consommations de cinq *akçe* d'argent sonnants et trébuchants.

Mesihi est méfiant ; une ombre de jalousie, certes ; néanmoins, la prodigalité inusuelle de cet inconnu est suspecte.

L'amabilité d'Arslan envers le sculpteur touche à l'obséquiosité.

Mesihi a souffert de remettre l'objet de son amour
à d'autres bras, de l'abandonner à d'autres regards ;
le poète subtil et original, maître du renouveau de
la poésie ottomane, dont les vers inspireront des
centaines d'imitateurs, sacrifie sa passion dans une
générosité triste. Lui qui a possédé les corps et les
cœurs des beautés les plus élégantes de la ville,
qui les a décrits dans un catalogue en vers n'ayant
rien à envier à celui de Don Juan, empli de tendresse et d'humour, a relégué son bonheur après
celui de l'artiste.

Michel-Ange sent aussi mauvais qu'un barbare
ou un esclave du Nord à peine capturé, son visage
est disgracieux, loin des éphèbes de Chirâz aux
grains de beauté indiens, sa voix est pleine de colère et sans raffinement, ses mains sont dures, usées
par le ciseau et le marteau de son art, mais malgré
tout, malgré tout sa force, son intelligence, sa per-
sévérance brute, le chant aigu que l'on devine dans
son âme passionnée attirent Mesihi sans remède,
ce que le sculpteur ne semble pas percevoir.

En bas, dans la grande pièce chichement illu-
minée par des candélabres en fer, une coupe à la
main, échangeant de loin en loin quelques propos
sans intérêt avec un Arslan amusé, le poète n'ose
pas imaginer ce qui se passe à l'étage, où Michel-
Ange a souhaité aller se reposer, aussitôt rejoint,

sur un signe de leur hôte, par la chanteuse andalouse.

La nuit est bien avancée, mais il lui reste encore
deux ou trois heures avant de mourir ; déjà des
traits sombres cernent les yeux de Mesihi. Il ne
peut s'empêcher d'en vouloir à cet Arslan apparu
comme un djinn dans un conte pour lui soustraire
par ses machinations la compagnie de ce Franc
mal équarri qu'il désire si fortement.

Il se met à réciter des vers.

Un poème persan.

Je ne cesse de désirer que lorsque mon désir
Est satisfait, que ma bouche atteint
La lèvre rouge de mon amour,
Où mon âme expire dans la douceur de son haleine.

Arslan sourit, il a reconnu l'inimitable Hâfiz de
Chirâz, ce que lui confirme le dernier couplet :

Et tu invoqueras toujours le nom de Hâfiz
En compagnie des tristes et des cœurs brisés.

Le noir presque complet.

Seule une bougie à l'extérieur projette un peu de lumière par la porte entrouverte.

Michel-Ange devine, plus qu'il ne les voit, les contours de ce corps élancé, fin et musclé, qui laisse glisser son vêtement à terre.

Il entend tintinnabuler ses bracelets lorsque cette forme sombre s'approche de lui, précédée d'un parfum de musc et de rose, de sueur tiède.

Le sculpteur se retourne, se recroqueville au bord du lit.

Elle a chanté pour lui, cette ombre, la voilà à ses côtés, et il ne sait qu'en faire ; il a honte et grand-peur ; elle s'allonge contre lui, à le toucher ; il sent son souffle et en frissonne, comme si le vent de la nuit, venu de la mer, le gelait soudain.

Une main se pose sur son biceps, il cesse de trembler, cette caresse est brûlante.

Il ne sait lequel de leurs deux pouls il sent battre si fort à travers ces doigts.

La vague tiède d'une chevelure lui parcourt la nuque.

Les yeux fermés, il imagine le jeune homme ou la jeune femme derrière lui, le coude plié, le visage au-dessus du sien.

Il reste immobile, raidi comme un chien d'arrêt.

Finalement je vais te raconter une histoire. Tu n'as nulle part où aller. C'est la nuit tout autour de toi, tu es enfermé dans une forteresse lointaine, prisonnier de mes caresses ; tu ne veux pas de mon corps, soit, tu ne peux échapper à ma voix. C'est l'histoire très ancienne d'un pays aujourd'hui disparu. D'un pays oublié, d'un sultan poète et d'un vizir amoureux.

C'était la guerre, non seulement entre les musulmans, mais aussi contre les chrétiens. Ils étaient puissants. Le prince perdit des batailles, il dut laisser Cordoue, abandonner Tolède ; ses ennemis étaient partout. Son vizir avait été son précepteur, c'était maintenant son confident, son amant. Longtemps, ils improvisèrent ensemble des poèmes dans les jardins, auprès des fontaines, et s'enivrèrent de beauté. Le vizir sauva la cité, une fois, en proposant au roi des Francs de jouer la ville aux échecs ; s'il gagnait, on lui en donnerait les clés ; s'il perdait, le siège serait levé. On utilisa de beaux pions de jade, venus de l'autre côté du monde. Le vizir finit par vaincre et le roi chrétien repartit vers le nord, emportant l'échiquier pour tout butin.

Un jour, alors que le prince et le vizir se distrayaient au bord de la rivière, une jeune servante les enchanta par son sens de la répartie, son immense beauté, la finesse de sa culture et de sa poésie. Le sultan tomba follement amoureux d'elle et l'emporta dans son palais. De l'ancienne esclave, il fit sa reine.

Elle était si belle et si raffinée que le prince se détourna complètement de son ministre, qu'il ne consultait plus que pour les affaires d'Etat. Le vizir souffrait ; il pleurait la perte des attentions du sultan, et en même temps brûlait d'un amour secret pour l'inaccessible épouse de son roi.

Il s'écarta, de lui-même, en se nommant gouverneur d'une forteresse éloignée.

La tristesse des plaisirs perdus, le souvenir du temps des poèmes et des chants rejoignaient dans son cœur le terrible désir de posséder la belle sultane, par vengeance, par amour.

Désespéré, il décida de s'allier aux chrétiens pour s'emparer de la capitale et faire sienne la sublime esclave.

Il trahit sans remords.

Il mit ses armées au service des Francs.

Ensemble ils assiégèrent la ville.

Le sultan, brisé par la défection de son ami, s'enferma dans sa chambre sans se résoudre à combattre. Il composa un poème, qu'il calligraphia lui-même et fit envoyer par un messager au vizir rebelle.

L'ombre du plaisir est toujours au-dessus de moi :
Ce nuage d'absence pleure le vin qui m'enivre.
Tes armes ont pour moi les doux coups de l'amour,
Je te donne ce royaume, que tu ne le perdes pas.

Emu aux larmes par cette déclaration, le vizir décida de trahir une seconde fois ; il retourna son armée contre les chrétiens par surprise et, après une rude bataille, entra en vainqueur dans la ville.

Il déposa les armes devant le prince en signe de soumission.

Le sultan l'invita chez lui le soir même.

Il le prit dans ses bras avec tendresse, puis, sans hésitation, il tira son épée et le déchira de l'épaule jusqu'en travers de la poitrine.

Le vizir expirait par terre ; il n'entendit pas les mots de son ami :

> *Tu n'as pas su t'élever à la hauteur de l'amour*
> *Et prendre tel le faucon ce qui était à ta portée*
> *La proie était à toi, tu l'as laissée passer*
> *Les amants sont cruels s'ils voient faiblir l'aimé.*
> *Cette bataille que j'ai gagnée, je la perds.*
> *Ce sol que je défends sera pour moi un désert,*
> *Et les âmes de ceux que j'ai assassinés,*
> *Mes gardiens pour l'éternité.*

Tu as écouté cette histoire ? Elle est vraie, prends garde. Tu te refuses à mes caresses. Je pourrais avoir une épée moi aussi. T'ouvrir en deux pour ton mépris. Je suis là et tu me rejettes. Tu dors, qui sait. Tu respires doucement. La nuit est longue. Tu ne me comprends pas, peut-être. Tu te laisses bercer par les accents de ma voix. Tu as l'impression d'être ailleurs. Tu n'es pas loin, pourtant. Pas bien loin de chez toi. Tu es là où je me trouve, tu le sais. Tu y viendras ; peut-être un jour te rendras-tu à l'évidence de l'amour comme le vizir. Tu donneras libre cours à ta passion. Décide-toi, comme l'oiseau de proie. Décide-toi à me rejoindre du côté des histoires mortes.

Michel-Ange ne parlera pas de cette nuit dans le calme de la chambre au-delà des eaux douces de la Corne d'Or, ni à Mesihi, ni à Arslan, encore moins à ses frères ou, plus tard, aux quelques amours qu'on lui connaît ; il garde ce souvenir quelque part dans sa peinture et dans le secret de sa poésie : ses sonnets sont la seule trace incertaine de ce qui a disparu à jamais.

Mesihi, quant à lui, exprimera plus clairement sa douleur ; il composera deux *ghazal* sur la brûlure de la jalousie, douce brûlure, car elle fortifie l'amour en le consumant.

Il a passé la nuit à boire, seul lorsque leur hôte s'est retiré à son tour, vaincu par la fatigue ; il a vu la beauté andalouse quitter discrètement la maison, à l'aube, enveloppée dans un long manteau ; il a attendu patiemment Michel-Ange, qui a évité son regard ; il a traîné le sculpteur épuisé jusqu'aux bains de vapeur, a convaincu son âme déchirée de s'en remettre à ses mains ; il l'a baigné, massé, frotté fraternellement ; il l'a laissé s'assoupir sur un banc de marbre tiède, enveloppé dans un linge blanc, et l'a veillé comme un cadavre.

Lorsque Michelangelo quitte sa torpeur et s'ébroue, Mesihi est toujours auprès de lui.

Le sculpteur est empli d'une énergie éblouissante, malgré l'alcool ingéré la veille et le manque de sommeil, comme si, en se débarrassant des squames et de la crasse, il s'était défait du poids des remords ou des abus ; il remercie le poète de ses soins et lui demande d'avoir la gentillesse de le raccompagner à sa chambre, car il souhaite se remettre au travail.

En retraversant la Corne d'Or, Michel-Ange a la vision de son pont, flottant dans le soleil du matin, si vrai qu'il en a les larmes aux yeux. L'édifice sera colossal sans être imposant, fin et puissant. Comme si la soirée lui avait dessillé les paupières et transmis sa certitude, le dessin lui apparaît enfin.

Il rentre presque en courant poser cette idée sur le papier, traits de plume, ombres au blanc, rehauts de rouge.

Un pont surgi de la nuit, pétri de la matière de la ville.

Buonarroto,

J'ai reçu ta lettre et te comprends. Pardonne que je n'écrive pas plus, sache que je suis écrasé de labeur. Je vais œuvrer jour et nuit pour achever rapidement mes travaux et vous rejoindre au plus tôt.

Je pense à Giovan Simone et à l'argent, je trouverai bientôt quelque arrangement, si Dieu me prête vie.

Tu peux dès à présent aller voir Aldobrandini et lui réclamer un acompte sur le prix de la dague. Il ne sera pas déçu. Jamais personne n'en a vu d'aussi belle, je le jure.

Prie pour moi,

Ton Michelagnolo

Quatre arches courtes flanquent un arc central à la courbure si douce qu'elle en est presque imperceptible ; elles reposent sur de forts piliers dont les avancées en triangle fendent les eaux comme des bastions. Appuyée sur une forteresse invisible dépassant à peine des flots, une passerelle majestueuse relie les deux rives dans la douceur, acceptant leurs différences. Deux mains posées majestueusement sur l'onde, deux doigts graciles qui se touchent.

Le vizir Ali Pacha est stupéfait.

Bayazid va être ravi.

Michel-Ange a remis ses études et dessins aux maquettistes et aux ingénieurs ; il a supervisé la réalisation des modèles réduits et des grandes planches pour la présentation au sultan. Insigne honneur, le sculpteur est convié à dévoiler lui-même son œuvre au souverain. Il reste encore à résoudre la question de la butée et de la voirie, affaires qui regardent le *shehremini* et le *mohendesbashi*.

Le Florentin a rempli son contrat : il a projeté un pont sur la Corne d'Or, audacieux et politique ; loin de la prouesse technique de Vinci, loin des courbes régulières de l'ancien viaduc de Constantin, au-delà des classiques. Toute son énergie s'y trouve. Cet ouvrage ressemble au *David* ; on y lit la force, le calme et la possibilité de la tempête. Solennel et gracile à la fois.

La veille de la présentation au sultan, Mesihi et Michel-Ange se sont rendus à l'arsenal de Scutari pour récupérer la dague commandée par le riche Florentin Aldobrandini ; aiguisé et poli, dans un coffret garni de flanelle rouge, le noir damas est extraordinairement beau. En caressant la lame du doigt, le sculpteur songe qu'il aura de la peine à s'en défaire, le moment venu.

Absorbé par son travail, Michel-Ange n'a que peu repensé à la nuit passée chez l'obligeant Arslan ; Mesihi ne l'a pas mentionnée non plus, pour d'autres raisons. Il sent sa passion pour l'artiste lui dévorer le cœur ; au cours de leurs promenades quotidiennes, vers le soir, quand la fraîcheur monte du Bosphore pour envahir la ville, il profite de la marche pour prendre par moments le bras de son ami et, une fois qu'il l'a déposé chez Maringhi, il se rend invariablement à la taverne, où il oublie sa tristesse dans le vin jusqu'à l'aube. Ses relations avec le vizir son patron sont tendues ; on lui reproche ses absences ; bien souvent, lorsque Ali Pacha le réclame pour rédiger une lettre ou calligraphier un firman, on ne le trouve pas, et il faut alors parcourir tous les bouges de Tahtakale pour le dénicher.

Mesihi sent que le Florentin ne le regarde pas avec les mêmes yeux que lui ; il est parfois dur, froid même, d'une dureté et d'une froideur qui aiguisent encore plus la passion du poète, et il donnerait cher pour une nuit auprès de l'artiste, comme la beauté andalouse. Mais il respecte la distance qu'il y a entre eux. Il respecte aussi la sobriété de Michel-Ange et son acharnement au travail dont il vient de découvrir, en même temps que le vizir, les merveilleux résultats.

Demain, on portera les maquettes et les dessins devant le sultan. Pour éviter toute déconvenue publique, Ali Pacha a déjà montré, en secret, un dessin au souverain et s'est assuré son accord. La cérémonie du lendemain sera une confirmation.

Michel-Ange a hâte de toucher ses gages et de rentrer à Florence.

A maestro Giuliano da Sangallo, architetto del papa in Roma

Giuliano, en gage de mon amitié je vous joins ces coupes et élévations de la basilique Sainte-Sophie de Constantinople que je tiens d'un marchand florentin du nom de Maringhi ; elles sont extraordinaires. J'espère que vous en tirerez profit.

Je vous prie encore, mon très cher Giuliano, de me faire parvenir la réponse de Sa Sainteté quant au tombeau.

Rien de plus.

Ce jour du 6 juin 1506,
Votre Michelagnolo, sculpteur à Florence.

Michel-Ange est ébloui par l'opulence et la splendeur de la cour. La foule des esclaves, des ministres, de l'élite des janissaires, l'aspect noble et tranquille du sultan coiffé d'un turban blanc que couronne une aigrette d'or et de diamants le fascinent. Les architectes de Bayazid ont réalisé la maquette en trois jours à peine, et elle trône maintenant sur un riche présentoir, ce qui irrite l'artiste ; elle a six coudées de long pour une et demie de haut. Il souhaitait qu'on la montre tout simplement sur une table, mais l'étiquette veut que l'on ne puisse présenter au souverain que des objets nobles.

Bayazid ne cache pas sa joie.

Il arbore un large sourire.

Il félicite le sculpteur lui-même, directement, et va même, chose rarissime, jusqu'à le remercier en langue franque.

Les ambassadeurs de Venise ou du roi de France ne sont pas aussi bien reçus.

Bayazid donne solennellement l'ordre au *mohendesbashi* de débuter les travaux le plus tôt possible.

Puis l'ombre de Dieu sur terre fait approcher le Florentin et lui remet un parchemin roulé, revêtu de son *toghra*, son sceau calligraphié ; Michel-Ange s'incline respectueusement.

On lui signifie ensuite son congé.

L'entrevue a duré quelques minutes à peine, mais l'artiste a eu le temps de dévisager le sultan, de remarquer la constitution robuste, le nez aquilin, les grands yeux sombres, les sourcils noirs, les marques de l'âge autour des pommettes ; s'il ne détestait pas tant les portraits, Michel-Ange se mettrait à dessiner immédiatement, avant d'oublier les traits du grand seigneur.

Michel-Ange est furieux, rouge de colère, il brise deux fioles d'encre et un petit miroir, envoie bouler sans ménagement le singe à l'autre bout de la pièce puis rappelle Manuel le drogman qui, après lui avoir traduit le rouleau offert par le sultan, a cru plus sage de s'éclipser.

— Trouvez-moi Mesihi, crie-t-il.

Manuel s'exécute aussitôt et revient une heure plus tard en compagnie du poète secrétaire.

— Qu'est-ce que c'est que ça, demande l'artiste en désignant le papier, sans autre préambule, sans même saluer celui qui aimerait tant être son ami.

— C'est un cadeau du sultan, *maestro*. Un titre de propriété. Un immense honneur. Les étrangers sont exclus de ces bénéfices. A part toi, Michelagnolo.

Mesihi est à la fois triste et fâché du courroux de Michel-Ange. Comment ne comprend-il pas que ce parchemin représente un hommage exceptionnel ?

— Tu me dis que je suis propriétaire d'un village dans une contrée perdue dont j'ignore tout, c'est cela ?

— En Bosnie, c'est exact. Un village, les terres qui s'y rattachent et tous leurs revenus.

— C'est donc cela mes gages ?

— Non *maestro*, c'est un présent. Tes gages te seront versés une fois le chantier avancé.

Mesihi s'en veut de décevoir ainsi l'objet de sa passion ; s'il le pouvait, il couvrirait d'or Michel-Ange à l'instant même.

Le Florentin s'assoit et se prend la tête entre les mains de chagrin.

Turcs ou romains, les puissants nous avilissent.

Mon Dieu ayez pitié.

Michel-Ange comprend que Bayazid le tient en son pouvoir jusqu'à ce que bon lui semble.

Il regarde Mesihi avec haine, avec une telle haine que le poète, s'il n'était pas au moins aussi orgueilleux que le sculpteur, en éclaterait en sanglots.

C'est la deuxième nuit. Le feu projette ses lueurs orangées jusque sur ton épaule. Tu n'es pas ivre.

Tu es un enfant, inconstant et passionné. Tu m'as contre toi, tu n'en profites pas. A quoi penses-tu ? A qui ? Tu n'as que faire de mon amour. Je sais qui tu es.

On me l'a dit.

Tu es un esclave des princes, comme moi des taverniers et des proxénètes.

Peut-être as-tu raison. Peut-être le meilleur de l'enfance est cette rage obstinée qui nous fait bri-ser le château de bois s'il n'est pas parfait, conforme à nos désirs. Peut-être ton génie t'aveugle-t-il. Je ne suis rien à côté de toi, c'est certain. Tu me fais trembler. Je sens cette force noire qui va tout bri-ser sur son passage, tout détruire de ses certitudes.

Tu n'es pas venu jusqu'ici pour me connaître, tu es venu pour construire un pont, pour l'argent, pour Dieu sait quelle autre raison, et tu repartiras identique, inchangé, vers ton destin. Si tu ne me touches pas tu resteras le même. Tu n'auras ren-contré personne. Enfermé dans ton monde tu ne vois que des ombres, des formes incomplètes, des territoires à conquérir. Chaque jour te pousse vers le suivant sans que tu ne saches l'habiter vraiment.

Je ne cherche pas l'amour. Je cherche la conso-lation. Le réconfort pour tous ces pays que nous perdons depuis le ventre de notre mère et que nous remplaçons par des histoires, comme des enfants avides, les yeux grands ouverts face au conteur.

La vérité, c'est qu'il n'y a rien d'autre que la souffrance et que nous essayons d'oublier, dans des bras étrangers, que nous disparaîtrons bientôt.

Ton pont restera ; peut-être prendra-t-il, au fil du temps, un sens bien différent de celui qu'il a aujourd'hui, comme on verra dans mon pays disparu bien autre chose que ce qu'il était en réalité, nos successeurs y accrocheront leurs récits, leurs mondes, leurs désirs. Rien ne nous appartient. On trouvera de la beauté dans de terribles batailles, du courage dans la lâcheté des hommes, tout entrera dans la légende.

Tu te tais, je sais que tu ne me comprends pas.

Laisse-moi t'embrasser.

Tu t'échappes comme un serpent.

Tu es déjà loin, trop loin pour qu'on puisse t'atteindre.

Le lendemain, lorsque Mesihi arrive pour leur promenade quotidienne, Michel-Ange est d'excellente humeur. Il ne sait comment s'excuser pour ses emportements de la veille. Il accueille délicatement le poète, le presse de compliments, l'invite jusque dans sa chambre.

— J'ai quelque chose à te montrer, dit-il.

Surpris, Mesihi l'accompagne.

Une fois dans l'appartement de l'artiste, ils gardent le silence. Gêné, Mesihi ne sait où s'asseoir ; il reste debout.

Le singe semble respecter leur silence et reste lui aussi immobile et silencieux dans sa cage.

Michel-Ange est embarrassé ; il observe Mesihi, sa carrure élégante, ses traits fins, ses cheveux sombres et huilés.

Il lui tend soudain un papier.

— C'est pour vous, dit-il.

Ce vouvoiement soudain est très doux aux oreilles du poète.

— Qu'est-ce que c'est ?

— C'est un dessin. Un souvenir. Un éléphant. Cela porte bonheur, dit-on. Il vous tiendra lieu de singe, ajoute-t-il en riant.

Mesihi sourit.

— Merci, Michelagnolo. Il est magnifique.

— Et ça aussi c'est pour vous. Je vous le donne.

Michel-Ange lui offre le rouleau que lui a remis le sultan.

— Je ne peux pas accepter, c'est un cadeau de Bayazid, *maestro*. Cela représente beaucoup d'argent.

Michel-Ange insiste, proteste, en disant qu'il n'en a que faire, et que, très certainement, il est possible de faire inscrire le nom de Mesihi à la place du sien sur ce titre de propriété.

Mesihi continue à refuser énergiquement, en souriant.

— Je garde l'éléphant, *maestro*. C'est suffisant.

Michel-Ange fait mine de se rendre aux arguments de Mesihi puis, quelques secondes plus tard, alors qu'ils s'apprêtent à sortir de la chambre, il dit tout bas :

— Vous savez, ce papier vous appartient autant qu'à moi. Sans vous, je ne serais jamais arrivé à rien.

Et il lui met de force le firman dans la main.

Mesihi sent son cœur gonfler à se rompre.

Pour tromper l'ennui, Michel-Ange dessine des gorges, des cavets et des scoties sur des feuilles déjà encombrées de cuisses, de pieds, de chevilles et de mains.

Il attend.

Il note des listes interminables dans son carnet.

Il travaille un peu au tombeau de Jules Della Rovere, le pape intransigeant qui dix ans plus tôt, encore cardinal, mena les troupes vaticanes contre les janissaires de Bayazid dans le Sud de l'Italie. Il a rencontré tour à tour les deux ennemis, et a offert à l'un un mausolée, à l'autre un pont.

Chaque jour, Manuel vient lui faire la lecture.

Michelangelo aime les histoires.

Il n'apprécie rien tant que les récits de batailles, les agissements des dieux merveilleux au haut de l'Olympe, les combats des anges et des démons. Il y entend des images ; il voit un héros courbé par le poids de son épée décapiter la Gorgone, une goutte de sang surgir de la blessure d'un jeune cerf, les éléphants d'Hannibal plier le genou dans la neige.

Il écrit quelques madrigaux.

Le souvenir de la beauté andalouse, de ses murmures dans la nuit, du contact de ses mains revient le hanter souvent.

A plusieurs reprises, il a hésité à retourner à la taverne, ou à demander à Mesihi de l'y accompagner ;

mais il devine confusément les sentiments du Turc à son égard et ne souhaite pas le blesser. Cette amitié étrange lui plaît ; malgré ce que pourraient laisser croire ses sautes d'humeur et ses emportements, il éprouve quelque chose pour Mesihi et, au plus secret de son âme, là où les désirs brûlent, se trouve sans doute le portrait du poète, bien caché.

Michel-Ange est obscur à lui-même.

Lorsqu'il reçoit la visite d'Arslan, un matin, alors qu'on vient de lui annoncer que l'ouverture dans les remparts, préalable à la construction, est achevée, il est en joie. Arslan a appris le début des travaux du pont, il sait que le sultan est fier de son architecte, il vient donc le féliciter et lui présenter ses respects. L'homme est affable. Sa conversation est agréable. Toute la capitale ne parle que de ce nouvel ouvrage, dit-il. Vous allez être le héros de la ville, comme à Florence.

Michel-Ange, un peu gêné, ne sait comment aborder le sujet qui l'intéresse.

Ils s'assoient dans la cour, à l'ombre du figuier.

Ils parlent de Florence, de politique, de Rome, en compagnie de Maringhi le marchand, qui connaît par ailleurs Arslan ; cette coïncidence semble un excellent présage à l'artiste. Il bout de trouver un moyen de revoir l'objet de sa passion.

C'est Maringhi qui le trouve pour lui.

— C'est bientôt la Saint-Jean, patron de Florence, dit le négociant. Je vais donner une fête, je compte sur votre présence.

— Je connais d'excellents musiciens, ajoute Arslan en se tournant vers le sculpteur.

Michel-Ange ne peut s'empêcher de rougir.

Le chantier du nouveau pont sur la Corne d'Or débute officiellement le 20 juin 1506, par la fermeture d'une partie du port et la construction d'une plateforme pour l'acheminement des milliers de pierres nécessaires à l'édifice. Auparavant il a fallu aménager un grand espace au pied des remparts et agrandir la porte della Farina. Michel-Ange attend toujours l'argent promis ; pour le moment seule une nouvelle bourse de cent pièces d'argent pour ses frais lui est parvenue, vite absorbée par le prix exorbitant que lui demande Maringhi pour sa pension et ses fournitures.

Il a d'autant plus hâte de rentrer en Italie que ses frères le pressent constamment et qu'il sait, depuis la mystérieuse missive venue de Rome, que certains cherchent à le perdre, à le faire passer pour un renégat, peut-être, ou pire. Il a l'habitude des cabales. Les couloirs du palais pontifical grouillent d'intrigants et d'assassins ; ses ennemis, Raphaël et Bramante, en particulier, sont puissants.

On lui promet qu'il pourra bientôt repartir.

Michel-Ange a peur que Bayazid et Ali Pacha ne soient trop contents de lui pour le laisser s'en aller si vite.

Constantinople est une très douce prison.

La ville balance entre l'est et l'ouest comme lui entre Bayazid et le pape, entre la tendresse de Mesihi
et le souvenir brûlant d'une chanteuse éblouissante.

Arslan est revenu une fois rendre visite au sculpteur.

Il l'a trouvé dans sa chambre, occupé à noter la liste de ses dernières dépenses.

Arslan s'étonne de la présence du singe qui gambade librement en dehors de sa cage ouverte, saute en criant de la table à l'épaule de l'artiste, puis sur le lit et jusque dans les jambes du visiteur.

Le Turc l'écarte du pied, sans ménagement.

— Où avez-vous déniché cette bestiole ?

— C'est un cadeau de Mesihi. Il vient de l'Inde, ajoute fièrement Michelangelo en souriant.

Arslan hausse les épaules.

— C'est horrible, cela crie et sent mauvais. Méfiez-vous, il pourrait vous mordre.

Michel-Ange éclate de rire.

— Non non, jusqu'ici il n'a mordu que Maringhi, qui le mérite. Je l'ai appelé Jules, en l'honneur de son mauvais caractère. Moi il me mange dans la main, regardez.

Il attrape une noisette dans un petit sac et la présente au singe ; celui-ci s'approche et prend délicatement le fruit sec dans ses doigts minuscules, avec un grand respect et une vraie noblesse.

Michel-Ange ne peut s'empêcher de rire à nouveau.

— N'est-il pas distingué ?

Arslan a une moue dégoûtée.

— Il y a quelque chose de diabolique dans leur attitude presque humaine, *maestro*.

— Croyez-vous ? Je trouve cela amusant.

Arslan préfère changer de sujet.

— Avez-vous des nouvelles de votre pont ?

— Oui. Les ingénieurs se battent pour des problèmes de portée et de hauteur des piles. Les travaux d'aménagement ont commencé sur les deux rives ; je vais bientôt dessiner les détails des arches et des piliers et dresser des plans d'exécution cotés.

— Ce n'est pas encore fait ?

— Non, j'attends les avis des ingénieurs.

— Vous allez donc rester parmi nous encore longtemps.

Michelangelo soupire.

— C'est possible.

— Cela n'a pas l'air de vous réjouir.

— J'avoue que l'Italie me manque. Mes frères me réclament, qui plus est.

— Si je peux vous aider en quoi que ce soit, n'hésitez pas. Qu'est-ce qui pourrait rendre votre séjour plus agréable ?

Le sculpteur ne peut s'empêcher de penser à la chanteuse andalouse, à sa voix et ses mains dans la nuit.

— Rien que vous n'ayez déjà fait, je vous remercie. Et Mesihi veille à mes moindres désirs.

— Ah, ce Mesihi.

Il y a comme un reproche dans la voix d'Arslan.

— C'est un compagnon charmant et un guide agréable.

— Un homme qui se perd dans le vin et l'opium se perd lui-même.

— Certes. C'est néanmoins un grand poète.

Arslan marque une hésitation.

— Avez-vous entendu sa poésie, *maestro* ?

— J'en connais les extraits qu'on a bien voulu me traduire. C'est aussi beau que notre Pétrarque.

— Si vous le dites.

Michel-Ange est légèrement agacé par les insinuations du jeune homme. Comme à son habitude, il ne peut s'empêcher d'être à la limite de l'impolitesse :

— Auriez-vous quelque chose contre lui ?

Arslan n'hésite pas une seconde.

— Non, bien sûr, au contraire. C'est le protégé du grand vizir ; on peut mesurer l'importance de quelqu'un à la puissance de ses amis.

Sans être un courtisan accompli, Michel-Ange a saisi la perfidie des mots d'Arslan.

Il aimerait que le singe vienne opportunément uriner sur les chausses du commerçant, mais l'animal a attrapé la plume sur l'écritoire et essaie, chevalier velu maniant maladroitement une lance trop grande pour lui, de la tenir droite et de tracer Dieu sait quoi sur le papier.

Michel-Ange rit aux éclats.

— Vous voyez ? Tout cela n'a pas grande importance.

Arslan se sent obligé de s'esclaffer avec lui.

— Ce ne sont que des singeries, s'il faut en croire votre horrible bête.

Michel-Ange reste un moment silencieux, avant de souffler :

— C'est juste. Nous singeons tous Dieu en son absence.

Le 24 juin, jour du Baptiste, le caravansérail de Maringhi est en fête. Michel-Ange est un peu l'invité d'honneur ; quelques commerçants génois et vénitiens sont là, oubliant pour un temps leur rivalité ; Mesihi aussi, bien sûr, ainsi que Falachi et tout ce qu'Istanbul compte de Florentins et de Toscans. On est allé à l'office le matin, dans l'église latine de l'autre côté de la Corne d'Or ; on pense qu'à Florence, le soir venu, on allumera les feux au bord de l'Arno, et on est un peu mélancolique. Michel-Ange tient compagnie à Mesihi, rayonnant de beauté dans un caftan brodé. L'été commence à peine et pourtant la chaleur est déjà étouffante malgré l'ombre de la cour, où sont dressées les tables du banquet. Arslan arrive à son tour, et salue respectueusement l'hôte avant de s'approcher de Michel-Ange et de Mesihi. Le sculpteur aperçoit le poète tressaillir de surprise ou de mécontentement ; il ne semble pas porter ce compatriote cosmopolite dans son cœur.

Michel-Ange est déçu de voir qu'Arslan est venu seul ; il espérait secrètement qu'il arriverait avec le chanteur tant attendu ; il n'ose poser la question.

On passe à table.

Maringhi a bien fait les choses. Le banquet est copieux et interminable.

Michel-Ange le frugal, incommodé par la chaleur, mange du bout des doigts.

A la moitié du repas, il abandonne les convives pour se retirer dans sa chambre, prétextant la fatigue, lui qui est infatigable.

Il relit un sonnet écrit la veille, le trouve mauvais et le rature rageusement.

Il ne redescend dans la cour que quelques heures plus tard.

Mesihi a disparu.

L'assistance est réduite de moitié.

On joue, on boit des sorbets.

Arslan est toujours là, ce qui rassure un peu l'artiste. Tout espoir n'est pas perdu. On viendra peut-être plus tard. Oui, c'est cela, sans doute. Les musiciens arriveront à la nuit, avec les feux.

Michel-Ange goûte cette soupe de cerises sucrée rafraîchie avec de la neige d'Anatolie ou des Balkans qu'on compresse en gros blocs et conserve dans le noir, au fin fond des citernes, en la recouvrant de paille.

On lui propose une partie de cornet ou de trictrac, il refuse. Il est encore moins joueur que buveur, si c'est possible. Il s'assoit près d'Arslan, qui affiche son éternel sourire et l'interroge sur ses affaires, sujet de conversation comme un autre.

— Je ne peux pas me plaindre. La paix avec la République favorise le commerce. Je devrais retourner prochainement à Venise. J'ai un entrepôt là-bas, pas aussi grand que celui-ci, certes, mais florissant tout de même.

Michel-Ange a du mal à se persuader que ce jeune homme athlétique est bien un commerçant. On l'imaginerait spadassin, voire homme de cour, mais sûrement pas derrière un comptoir, même vénitien. Il se demande par quel hasard il est proche de Maringhi. Sans doute tous les négociants se connaissent-ils ; ils s'achètent peut-être même des articles entre eux.

Les Florentins présents sont gais, d'une gaieté nostalgique ; leur hôte a fait préparer un tas de bois au milieu de la fontaine de sa cour, qu'il allumera à la nuit, au risque de mettre le feu à tout le quartier, ce qui n'a pas l'air de l'inquiéter outre mesure. Michel-Ange se rappelle les festivités de la Saint-Jean dans le palais de Laurent le Magnifique, au temps où il était encore apprenti, et sent son cœur se serrer. La vie ne lui a donné que peu de moments agréables, jusqu'à présent ; des années de travail acharné, de peines et d'humiliations. Mais les souvenirs du palais des Médicis brillent en lui d'une lumière particulière. Au-delà de l'excellente formation qu'il y reçut, il y avait dans l'entourage du Magnifique, dans la vie à la cour, une sécurité presque familiale qui lui manque souvent, qu'elle fût due à l'insouciance de la jeunesse, ou à sa soif d'apprendre, jamais rassasiée. Il y affronta souvent ses camarades ; il y apprit à suer, à se battre, à souffrir et à travailler. C'est dans le dur regard de ses maîtres que se trouve le père de Michel-Ange. Dans leur dureté et leur rare tendresse.

Le jour commence à faiblir ; le ciel se fissure de rose, une légère brise marine rafraîchit le caravansérail ; on a ouvert les portes en grand pour laisser entrer l'air qui parcourt à présent les arcades et agite tendrement les feuilles du figuier.

Mesihi revient, après avoir été appelé d'urgence par le vizir. Il semble soucieux. Michel-Ange n'y prête pas vraiment attention.

Il est soulagé.

Il a entendu les Florentins murmurer que les musiciens allaient bientôt arriver, qu'on allait allumer le feu, qu'on allait boire.

Il peut, tout d'un coup, se laisser aller à l'allégresse du soir d'été.

Triste présage, ce matin le singe est mort. Ou peut-être cette nuit ; à son réveil, Michel-Ange l'a trouvé étendu par terre, les pattes repliées, la tête reposant sur le menton, comme arrêté dans sa course.

Michelangelo a pris la minuscule main dans la sienne, l'a soulevée, elle est retombée.

Il a ramassé l'animal, il semblait avoir perdu tout son poids, ne plus rien peser, comme si seule l'énergie de la vie lui donnait sa masse.

C'était une chose infime que la mort rendait encore plus fragile.

Michel-Ange a senti son cœur se serrer. Il a allongé la petite dépouille dans la cage qu'il a décrochée et posée sur le sol.

Il a préféré ne plus le voir, et a appelé un serviteur pour qu'on l'en débarrasse immédiatement, en espérant que cela efface aussi l'étrange tristesse qui l'étreignait. Il a pleuré ce décès comme celui d'un enfant qu'on aurait à peine eu le temps de connaître.

Michel-Ange rêve d'un banquet d'autrefois, où l'on discuterait d'Eros sans que jamais le vin n'empâte la langue, sans que l'élocution ne s'en ressente, où la beauté ne serait que contemplation de la beauté, loin de ces moments de laideur préfigurant la mort, quand les corps se laissent aller à leurs fluides, à leurs humeurs, à leurs désirs. Il rêve d'un banquet idéal, où les commensaux ne tangueraient pas dans la fatigue et l'alcool, où toute vulgarité serait bannie au profit de l'art.

Il regarde les hôtes s'enlaidir dans la jouissance, tous, sauf Arslan et Mesihi qui se toisent étrangement, dans un air de défi mutuel, sans presque porter la coupe à leurs lèvres parfaites.

Il y a là un mystère que Michelangelo ne cherche pas à percer ; il pense vaguement, car il est vaniteux, que cela a à voir avec lui, avec sa personne.

Comme toujours lorsqu'il est sur le point d'achever un projet, il est heureux et triste ; heureux d'avoir terminé et triste que l'ouvrage ne soit pas aussi parfait que si Dieu lui-même l'avait créé.

Combien faudra-t-il d'œuvres d'art pour mettre la beauté dans le monde ? pense-t-il en observant les convives s'enivrer.

Le feu dansant dans le bassin déforme les visages ; ce sont tous de terribles monstres d'un autre âge, des gargouilles d'ombres mouvantes. Seule une flamme orangée l'hypnotise, c'est le corps de la chanteuse. Ses légers mouvements, sa mélodie qui monte dans la nuit, sa main qui frappe savamment la percussion dans l'indifférence générale.

Michelangelo se sent anxieux.

Il a envie d'avoir de nouveau près de lui dans la pénombre la voix aimée. Il sent que Mesihi le regarde avec une inquiétude étrange. Des sentiments contradictoires l'agitent.

Cette fois-ci, il s'est bien gardé de toucher au vin lourd que ses compatriotes engloutissent à grandes lampées bruyantes.

Souvent on souhaite la répétition des choses ; on désire revivre un moment échappé, revenir sur un geste manqué ou une parole non prononcée ; on s'efforce de retrouver les sons restés dans la gorge, la caresse que l'on n'a pas osé donner, le serrement de poitrine disparu à jamais.

Allongé sur le côté dans le noir, Michel-Ange est troublé de sa propre froideur, comme si la beauté l'éludait toujours. Il n'y a rien de palpable, rien d'atteignable dans le corps, il disparaît entre les mains comme la neige ou le sable ; jamais on ne retrouve l'unité, jamais on n'atteint la flamme ; séparés, les deux tas de glaise ne se rejoindront plus, ils erreront dans le noir, guidés par l'illusion d'une étoile.

Il aime pourtant cette peau contre son épaule, le frisson lisse des cheveux étrangers dans son cou, leur parfum d'épices ; la magie n'opère plus. Le plaisir le laisse de marbre.

Il voudrait qu'on l'ouvre, qu'on libère la passion en lui.

Il s'envolerait et brûlerait alors tel le phénix.

Tu sens que la fin approche, que c'est la dernière nuit. Tu auras eu la possibilité de tendre la main vers moi, je me serai offerte en vain. C'est ainsi. Ce n'est pas moi que tu désires. Je ne suis que le reflet de ton ami poète, celui qui se sacrifie pour ton bonheur. Je n'existe pas. Tu le découvres peut-être maintenant ; tu en souffriras plus tard, sans doute ; tu oublieras ; tu auras beau couvrir les murs de nos visages, nos traits s'effaceront peu à peu. Les ponts sont de belles choses, pourvu qu'ils durent ; tout est périssable. Tu es capable de tendre une passerelle de pierre, mais tu ne sais pas te laisser aller aux bras qui t'attendent.

Le temps résoudra tout cela, qui sait. Le destin, la patience, la volonté. Il ne restera rien de ton passage ici. Des traces, des indices, un bâtiment. Comme mon pays disparu, là-bas, de l'autre côté de la mer. Il ne vit plus que dans les histoires et ceux qui les portent. Il leur faudra parler longtemps de batailles perdues, de rois oubliés, d'animaux disparus. De ce qui fut, de ce qui aurait pu être, pour que cela soit de nouveau. Cette frontière que tu traces en te retournant, comme une ligne avec un bâton dans le sable, on l'effacera un jour ; un jour toi-même te laisseras aller au présent, même si c'est dans la mort.

Un jour tu reviendras.

Michel-Ange a observé longuement la jeune femme endormie près de lui. C'est une ombre dorée ; la bougie qui vacille éclaire sa cheville, sa cuisse, sa main refermée comme pour retenir le sommeil ou quelque chose d'inaccessible ; sa peau est sombre, Michel-Ange passe doucement le doigt sur son bras, remonte jusqu'au creux de l'épaule.

Il ne sait rien d'elle ; il s'est laissé charmer par cette voix épuisée, puis il l'a regardée s'assoupir, alors que le feu de la Saint-Jean mourait en découvrant les étoiles innombrables de la nuit de juin.

Trois mots espagnols tournent dans sa tête comme une mélodie.

Reyes, batallas, elefantes.
Battaglie, re, elefanti.

Il les consignera dans son cahier, comme un enfant garde férocement son trésor de cailloux précieux.

Mesihi a raccompagné Arslan à la porte du caravansérail. Ivres, les Florentins sont allés se coucher ; seuls les serviteurs de Maringhi tournent encore dans la cour et font disparaître les dernières traces du banquet.

Mesihi regarde le feu s'éteindre petit à petit, la tristesse le recouvrir de ses cendres.

Il pressent qu'il va perdre Michel-Ange à jamais.

L'obséquieux Arslan est un étrange espion, à la fois agent de Venise et homme du sultan ; il navigue entre l'un et l'autre, proposant ses services troubles des deux côtés de la mer.

Ici aussi il y a des conspirations et des jeux de palais ; des jaloux, des intrigants prêts à tout pour discréditer Ali Pacha aux yeux de Bayazid, pour empêcher la construction de ce pont impie, œuvre d'un infidèle, pour entraîner la disgrâce du ministre par un scandale.

Michel-Ange ne soupçonne rien de tout cela.

Mesihi sait qu'Arslan est un rouage de ces manigances ; il ne peut rien contre lui, d'autant moins que, en échange du prix d'un fief en Bosnie, Arslan vient de lui révéler la teneur du complot. Mesihi a offert tout ce qu'il possède pour cette information.

Maintenant il se sent seul et accablé ; il sait ce qu'il a à faire.

Il va devoir éloigner celui qu'il aime pour le pro-téger.

L'arracher à la mortelle Andalouse.

Organiser sa fuite, cacher son départ et lui dire adieu.

Je vais devoir te tuer. Tu l'ignores. Tu ne pourrais y croire. Je ne suis pas endormie ; j'attends que tu t'assoupisses, ensuite je prendrai la dague noire sur ta table et te la passerai à travers le corps. Le dépit n'y est pour rien. C'est ainsi. Je n'ai pas le choix. On a toujours le choix. Je pourrais renoncer maintenant ; renoncer à l'argent, affronter les menaces ; si je ne te tue pas on me retrouvera noyée de l'autre côté du Bosphore, ou étranglée dans ma chambre par un cordon de soie. On peut se prendre à rêver. J'aurais pu imaginer une fuite dans la nuit, avec toi ou avec un autre ; j'ai repoussé ce moment autant que j'ai pu.

Je ne sais pas si je vais réussir.

Il va falloir que je rassemble toute la haine que je peux avoir contre tes semblables, et je n'en ai pas. Ou pas beaucoup. Je vais devoir convoquer les forces du passé, imaginer venger mon père, venger mon pays perdu, venger les miens, dispersés, essaimés sur les rives de la mer.

Je sais que tu n'as rien à voir dans tout cela.

Des forces nous tirent, nous manipulent dans le noir ; nous résistons. J'ai résisté. Peut-être la dernière barrière sera-t-elle la peur, le souvenir de ta main qui me caresse doucement comme si elle découvrait le tronc d'un arbre inconnu.

Tu ne me désires pas et pourtant tu es tendre.

Je n'y arriverai pas. Je n'ai pas la douleur passionnée du vizir qui trahit son amant ; je n'ai pas la colère jalouse du sultan qui le tue.

J'ai tenu une arme une seule fois, une horrible fois et j'en ai tremblé une année entière.

Même les soldats ont besoin des hurlements et du fracas de la bataille pour trouver du courage.

Je pourrais t'expliquer pourquoi on m'a confié cette tâche, par quel hasard ; te parler de tes nombreux ennemis, de moi, de ma vie, cela ne changerait rien. Ces puissants que tu crains ont décidé de ton sort et du mien. Si tu m'avais insufflé la folie de l'amour, si j'avais su te séduire, peut-être alors aurions-nous pu nous sauver tous les deux.

J'ai cherché à t'aimer pour ne pas avoir à te tuer.

Tu t'es endormi.

Il faut en finir.

Heureusement dans la pénombre je devinerai à peine ton visage ; ce sera plus simple ; cette lame est si parfaite qu'elle tranchera ta gorge sans un effort, t'empêchant de crier ; tu sentiras un écoulement chaud contre ta poitrine, tu étoufferas sans comprendre et tes forces te quitteront.

Judith l'a accompli jadis, pour sauver son peuple. Je n'ai pas de peuple à sauver, pas de vieille femme qui tienne un sac dans lequel dérober ta tête ; je suis seule et j'ai peur.

Cette lame pèse bien plus lourd qu'un cimeterre de janissaire ; elle a le poids de nos deux vies réunies.

Je vais rester jusqu'à la fin des temps le poignard à la main, debout dans la nuit, sans oser ni partir ni te frapper.

Michel-Ange est réveillé par un cri, une lutte dans le noir ; il a peur, il roule à bas du lit, sans comprendre ; un appel à l'aide, des chocs confus sur le plancher ; il voit qu'on apporte de la lumière, il entend qu'on l'appelle.

Il se lève avec difficulté.

Il y a un corps de femme ensanglanté sur le sol.

Mesihi est debout, l'œil hagard, sauvage et pâle à la fois.

Il brandit encore la dague noire d'Aldobrandini, qui vient de pénétrer avec tant de facilité la chair de la chanteuse.

Michelangelo reste interdit quelques secondes. Il ne peut détourner son regard du corps dénudé allongé sur le plancher : une flaque noire s'agrandit sous la poitrine ; le visage, de côté, à demi recouvert par les cheveux en désordre, est d'une pâleur de lune ; il semble agité d'un dernier mouvement, qui n'en n'est pas un, un tressaillement, tout au plus.

Sur le pas de la porte, les serviteurs avec leurs bougeoirs sont stupéfaits, surpris à la fois par la beauté de la nudité de la jeune femme et la violence de la scène.

Le sculpteur se penche vers celle dont il découvre les formes dans la lumière. Il n'ose pas la toucher.

Il se retourne vers Mesihi.

Il se précipite soudain sur lui en hurlant ; il le frappe du poing au visage, l'étourdissant à moitié ; par réflexe, Mesihi lève le poignard pour se protéger et blesse Michel-Ange au bras ; insensible à la peur le sculpteur le frappe à nouveau, lui attrape le poignet, et tourne ; il tourne, il est fort ; il est puissant et blessé et si les serviteurs de Maringhi n'étaient pas intervenus pour le maîtriser, non seulement les os se seraient brisés, mais, une fois la dague en sa possession, il aurait sans nul doute achevé le poète de mille coups furieux.

Michelangelo est trop surpris et affaibli, trop meurtri pour pleurer. Il s'est laissé panser le bras par Manuel ; le poignard lui a ouvert une belle plaie bien droite sur le biceps. Il a caressé une dernière fois, en cachette, les cheveux de la chanteuse au corps froid comme le marbre ; il a évité de regarder son visage, ses yeux clos.

Le cadavre a ensuite disparu.

Michel-Ange est resté assis longtemps sur son lit, le cœur battant, pour essayer de comprendre, et il a compris.

Il a compris la terrible vengeance de Mesihi, sa jalousie atroce ; il imagine le poète agir de sang-froid, dans la nuit, et il en tremble.

Il a préféré tuer la jeune femme plutôt qu'elle ne lui ravisse Michel-Ange.

Le sculpteur en frémit de colère et de douleur.

Il mettra des mois à retrouver le sommeil.

Mesihi a décidé de se taire.

Il s'est enfui dans la nuit, blessé lui aussi, le poignet endolori ; il a fumé de l'opium, bu jusqu'à s'en faire vomir ; rien n'y a fait. Il revoit l'image de ce corps debout dans la pénombre, l'arme à la main ; il se souvient de s'être précipité vers lui, d'avoir lutté ; elle criait, elle se débattait ; puis elle a cessé de se débattre, alors que c'était lui qui avait le couteau ; il a beau essayer de se souvenir à s'en frapper la tête contre les murs il est incapable de comprendre ce qui s'est produit, comment il a senti le contact d'un sein contre sa poitrine, la jeune femme soupirer et fléchir, puis tomber, frappée à mort.

Il lui semble qu'elle s'est jetée sur la lame.

Il n'en saura jamais rien.

Mesihi est ivre sans l'être.

Il tremble ; il pleure dans la solitude ; il s'enveloppe dans un manteau de laine sombre, fragile rempart contre le monde, lorsque le jour arrive.

Buonarroto, je n'ai pas le temps de répondre à ta lettre, car c'est la nuit ; et quand bien même je l'aurais, je ne pourrais te donner une réponse ferme, puisque je ne vois pas la fin de mes affaires ici. Je serai près de vous bientôt et ferai alors tout le possible pour vous, comme je l'ai accompli jusqu'à présent. Moi-même je me sens plus mal que jamais, blessé et pris d'une grande fatigue ; pourtant j'ai la patience de m'efforcer pour atteindre le but projeté. Vous pouvez donc bien patienter un peu, puisque vous êtes dix mille fois en meilleur état que moi.

Ton Michelagnolo

Mesihi s'est tu.

Il a sacrifié son amour une dernière fois, sans rien espérer en retour.

Il a défendu ce Franc contre son ennemie, il l'a sauvé, voilà ce qui lui importe ; tant pis si en le sauvant il l'a perdu à jamais.

Il l'oubliera, qui sait, dans les tavernes de Tahtakale, dans les bras des éphèbes et des chanteuses aux yeux de houris qui viendront lui masser les cuisses ; dans la beauté de la poésie et de la calligraphie.

Il pleure souvent ; seule l'arrivée de la nuit et de la débauche lui apporte un peu de réconfort.

Quatre chemises de laine dont une déchirée et ta-
chée de sang, deux pourpoints de flanelle, un surcot de la même matière, trois plumes et autant de
fioles d'encre, un miroir brisé, quatre feuilles cou-
vertes de dessins, deux autres d'écritures, trois
paires de chausses, un compas, des sanguines dans
une boîte de plomb, un étui d'argent contenant
des sels, une timbale du même métal, voilà l'inventaire précis de ce que l'on trouvera dans la
chambre de Michel-Ange après son départ, mé-
thodiquement consigné par les scribes ottomans.

Il quitte Constantinople en secret. Poursuivi par
la présence de la mort, accablé par le souvenir
d'un amour qu'il n'a pas su donner avant qu'il ne
soit trop tard, trahi, croit-il, par la jalousie de Mesihi,
trompé par les puissants, pressé par ses frères et
la perspective de se remettre au service du pape,
il prend la fuite, comme il a fui Rome trois mois
plus tôt, blessé, déchiré, brisé.

Il quitte Istanbul sans un sou.

Mesihi ne s'est plus présenté chez Maringhi.

Michel-Ange a hésité à le faire appeler ; il n'a pu
s'y résoudre.

Il a organisé sa fuite avec Manuel ; il ignore que,
de loin, c'est Arslan qui a pris les arrangements,
trouvé l'embarcation vénitienne qui le déposera à
Ancône, payé grande partie du prix du passage.

On se débarrasse de l'artiste encombrant perdu entre deux rives.

La nuit de son départ, sur le quai au bas des remparts, le divin Michelangelo n'est qu'un corps blessé et effrayé, enveloppé dans un caftan noir, qui a hâte qu'on mette à la voile, qui a hâte de retrouver Florence.

A quelques centaines de mètres derrière eux, en amont, se dresse la forme noire de l'échafaudage de la butée du pont que Michel-Ange ne verra pas.

Il embrasse longuement Manuel, comme si c'était un autre qui se trouvait à sa place, puis il monte à bord. Il ressent une douleur sourde dans la poitrine, il l'attribue à sa blessure ; des larmes lui montent aux yeux.

Le seul objet qu'il a emporté, c'est son carnet, dans lequel il note quelques derniers mots, alors que le navire passe la pointe du Sérail.

Apparaître, poindre, briller.

Consteller, scintiller, s'éteindre.

Dissimulé par les embarcations, Mesihi s'est vite retourné. Il ne souhaite pas observer plus long-temps, il n'y a plus rien à voir : des rames sombres qui frappent les flots obscurs, une voile carrée dont la blancheur ne parvient pas à déchirer la nuit.

Il va aller se perdre dans les rues de la ville, se perdre dans les bouges de Tahtakale ; pour tout souvenir de Michel-Ange, il garde le dessin d'un éléphant, et surtout, dans un repli de son vête-ment, la dague noire et or qui lui brûle à présent le ventre comme si elle était chauffée à blanc.

ÉPILOGUE

Le 14 septembre 1509, au moment même où Michel-Ange débute le chantier de la chapelle Sixtine, un terrible tremblement de terre frappe Istanbul. Les chroniqueurs en décrivent avec minutie les affreux dégâts : cent neuf mosquées et mille soixante-dix maisons sont ruinées de fond en comble ; plusieurs milliers d'hommes, de femmes et d'enfants périssent ensevelis sous les décombres. On raconte que dans la seule maison du vizir Mustafa Pacha meurent trois cents cavaliers avec leurs trois cents chevaux. Les remparts sont partiellement effondrés du côté de la mer, et entièrement du côté de la terre ; l'hospice des pauvres et une grande partie du complexe de la mosquée de Bayazid sont détruits. L'enduit qui recouvre les mosaïques byzantines de la basilique Sainte-Sophie tombe, révélant les portraits des évangélistes, qui protègent si bien les églises, disent les chrétiens, que pas une seule n'est touchée.

En tout cas les saints ne se préoccupent pas du pont de Michel-Ange, dont on a déjà érigé les piles, la butée et les premières arches : ébranlé, l'ouvrage s'effondre ; ses gravats seront charriés vers le Bosphore par les eaux que le séisme a rendues furieuses, et l'on n'en parlera plus.

Deux ans plus tard, le 5 août 1511, alors que Michel-Ange, le dos courbé, peine toujours sur son échafaudage de la chapelle Sixtine, Ali Pacha meurt. Premier grand vizir à être tué en combat, il trépasse à cheval, au milieu de ses janissaires, atteint en pleine poitrine par la flèche de l'un des chiites de l'Est, les Tekkés, dont il cherche à réduire la rébellion. On raconte qu'il sera vengé, d'une horrible manière, par Ismaïl, nouveau roi de Perse, qui souhaitait ainsi se concilier son si puissant voisin après avoir utilisé les révoltés pour asseoir son pouvoir ; capturés, les assassins du grand vizir seront jetés dans une marmite d'eau bouillante. Ils hurleront beaucoup, dit-on, avant de cuire et d'être dévorés par leurs gardiens.

Cette terrible vengeance ne changera rien pour Mesihi. Le poète démuni, ivrogne et sans protecteur s'éteindra avant même l'achèvement de la voûte si célèbre où Dieu donne vie à cet Adam dont le visage ressemble tant à celui du poète turc.

Deux doigts tendus qui ne se touchent pas.

Mesihi mourra au coucher du soleil, un soir de juillet 1512, pauvre et solitaire, après avoir en vain cherché un nouveau mécène. On connaît un de ses derniers vers :

Mon Dieu, ne m'envoyez pas au tombeau avant que mon torse ait pu caresser la poitrine de mon ami.

Peut-être parce qu'il était mécréant et assassin malgré lui, ou tout simplement parce que sa prière était indécente, il ne sera pas exaucé ; il s'éteindra dans un râle sans poésie, un souffle rauque vite avalé par l'appel à la prière du couchant, qui coulait déjà des innombrables minarets.

Le sultan Bayazid deuxième du nom aimait les ponts.

Parmi tous les ouvrages d'art qu'il fit bâtir dans les vingt-quatre provinces d'Asie et les trente-quatre d'Europe qui composaient alors son Empire, on dénombre : un pont de neuf arches sur le Qizil-Ermak à Osmandjik ; de quatorze arches sur le Sakarya ; de dix-neuf arches sur l'Hermos à Saru-khan ; de six sur le Khabour, de huit sur le Valta, en Arménie ; de onze arches courtes et solides pour laisser passer l'armée près d'Edirne, sans compter tous les ponts de bois jetés au hasard des cours d'eau de moindre importance que rencontraient ses janissaires ou ses administrateurs.

Il mourut peu après avoir abdiqué en faveur de son fils Sélim, en 1512, en route vers Dimetoka, lieu de sa naissance, qu'il n'atteignit jamais ; le poison administré par un sbire de Sélim, ou ces autres venins que sont la tristesse et la mélancolie, eut raison de celui qui avait rêvé d'un ouvrage signé Léonard de Vinci ou Michel-Ange Buonarroti à Istanbul : il rendit l'âme près du village d'Aya, dit-on, sous son dais rouge et or, près de la pile d'un petit pont sur la route d'Andrinople, à l'ombre de laquelle on l'avait installé.

Longtemps après, en février 1564, c'est au tour de Michel-Ange, il se prépare à disparaître.

Dix-sept grandes statues de marbre, des centaines de mètres carrés de fresques, une chapelle, une église, une bibliothèque, le dôme du plus célèbre temple du monde catholique, plusieurs palais, une place à Rome, des fortifications à Florence, trois cents poèmes, sonnets et madrigaux, autant de dessins et d'études, un nom associé à jamais à l'Art, à la Beauté et au Génie : voilà, entre autres, ce que Michel-Ange s'apprête à laisser derrière lui, quelques jours avant son quatre-vingt-neuvième anniversaire, soixante ans après son voyage à Constantinople. Il meurt riche, son rêve réalisé : il a rendu à sa famille sa gloire et ses possessions passées. Il espère voir Dieu, il le verra sans doute, puisqu'il y croit.

C'est bien long, soixante ans.

Entre-temps, il a écrit des sonnets d'amour, à défaut de l'avoir connu, accroché au souvenir d'une mèche de cheveux morts.

Souvent, il caresse la cicatrice blanchie sur son bras et pense à l'ami perdu.

D'Istanbul, il lui reste une vague lumière, une douceur subtile mêlée d'amertume, une musique lointaine, des formes douces, des plaisirs rouillés par le temps, la douleur de la violence, de la

151

perte : l'abandon des mains que la vie n'a pas laissé prendre, des visages qu'on ne caressera plus, des ponts qu'on n'a pas encore tendus.

NOTE

La citation initiale, où il est question de rois et d'éléphants, appartient à Kipling, dans l'introduction d'*Au hasard de la vie*.

Quant à l'affaire qui nous intéresse ici, voici donc ce que l'on peut facilement retracer :

L'invitation du sultan est relatée par Ascanio Condivi (biographe et ami de Michel-Ange) et mentionnée aussi par Giorgio Vasari. Le dessin de Léonard de Vinci pour un pont sur la Corne d'Or existe bel et bien, et est conservé au musée de la Science de Milan.

Les lettres de Michel-Ange à son frère Buonarroto ou à Sangallo citées ici sont authentiques, je les ai traduites de son *Carteggio*. Les plans de Sainte-Sophie envoyés à Sangallo par Michel-Ange se trouvent à la bibliothèque apostolique Vaticane, dans le codex Barberini.

L'esquisse *Projet d'un pont pour la Corne d'Or* attribuée à Michel-Ange a été récemment découverte dans les archives ottomanes, tout comme l'inventaire des possessions abandonnées dans sa chambre.

L'anecdote de Dinocrate apparaît bien dans Vitruve, au début du livre II des *Eléments d'architecture*.

L'histoire du sultan et du vizir andalous correspond à un épisode de la biographie mouvementée d'Al-Mu'tamid, dernier prince de la taifa de Séville.

La dague de damas noir rehaussé d'or est exposée dans une vitrine du trésor de Topkapi.

La biographie de Mesihi de Pristina le *shahrengiz* figure dans toutes les histoires de la littérature ottomane, mais principalement dans Gibb, au deuxième tome, ainsi que les extraits de sa poésie reproduits ici.

Les vies de Bayazid le second, de son vizir Ali Pacha et du page génois Menavino, mon Falachi, sont largement documentées dans les chroniques contemporaines ou postérieures.

Le tremblement de terre qui frappa Istanbul en 1509 est malheureusement réel, et ses dégâts aussi.

Pour le reste, on n'en sait rien.

OUVRAGE RÉALISÉ
PAR L'ATELIER GRAPHIQUE ACTES SUD
ACHEVÉ D'IMPRIMER
EN DÉCEMBRE 2010
PAR L'IMPRIMERIE FLOCH
A MAYENNE
POUR LE COMPTE DES ÉDITIONS
ACTES SUD
LE MÉJAN
PLACE NINA-BERBEROVA
13200 ARLES